LE BIENFAITEUR

DU MÊME AUTEUR

Il était une fois l'Amérique, récit, Denoël, 1996.
Putain d'Amérique !, récit, Flammarion, 2001.

PHILIPPE ROMON

LE BIENFAITEUR

roman

préface de
Boris Cyrulnik

l'Archipel

Si vous souhaitez recevoir notre catalogue
et être tenu au courant de nos publications,
envoyez vos nom et adresse, en citant ce
livre, aux Éditions de l'Archipel,
34, rue des Bourdonnais, 75001 Paris.
Et, pour le Canada, à
Édipresse Inc., 945, avenue Beaumont,
Montréal, Québec, H3N 1W3.

ISBN 2-84187-399-4

À la mémoire de Me Paul Vernus.

Préface

Il y a longtemps que je n'avais été aussi angoissé à la lecture d'un roman. La dernière fois, je crois, j'avais dix ans et c'était *Oliver Twist*. Charles Dickens évoquait la réalité sociale de l'Angleterre industrielle du xixᵉ siècle, mais le petit Oliver Twist me bouleversait parce que son histoire parlait... de moi ! Un enfant abandonné se débattait dans la fange londonienne et parvenait à s'en sortir en rencontrant une famille de rêve, d'amour et de bien-être social.

Jean-Claude Romand (rebaptisé Welche par Philippe Romon), bon élève transparent, entouré d'une gentille famille sans histoire apparente, devient chercheur à l'Organisation mondiale de la santé (OMS). Jusqu'au jour où l'on apprend que, pour cacher son énorme mensonge (il n'a jamais fini ses études de médecine), il a préféré tuer ses deux enfants, sa femme, sa mère et son père !

Cette tragédie vraie, que raconte Philippe Romon, produit en moi un angoissant écho : moi aussi, j'ai fait médecine pour devenir chercheur à l'OMS, moi aussi, j'ai failli échouer en deuxième année de médecine ; moi non plus, je ne suis pas devenu chercheur dans ce glorieux organisme ; pour autant, je n'ai pas tué mes proches !

Comment un projet commun, un merveilleux rêve fou, a-t-il pu nous diriger vers des destins si différents ? Où se place l'aiguillage : une rencontre, un hasard ? Pourquoi Romand a-t-il « déraillé » : une dépression, un maléfice ? Peut-on inventer un monde de mots, au point de préférer tuer le réel et préserver le mythe ? Si le mensonge est utilitaire, le mythe, lui, serait-il identitaire ?

Au cours de notre enfance, nous avons tous menti ; nous avons tous inventé notre mythe. Mais une force insidieuse a dérouté Romand-Welche et l'a orienté vers une mythomanie criminelle, alors que la nôtre était constructive et délicieuse.

Inventer un monde et le mimer est une prouesse intellectuelle que tout enfant doit réaliser bien avant de savoir parler. Dès l'âge de quinze mois, un bébé doit « faire semblant » de tomber, de pleurer, de se cacher, de manger, de dormir et même de menacer et d'aimer. Toutes les activités fondamentales de son existence future doivent être mises en scène dans son petit théâtre préverbal, sous peine de rester soumis à l'immédiateté du réel.

Malheur à ceux qui n'ont jamais menti : ils n'ont pas eu d'accès à l'altérité. Trop sérieux, trop proches du réel et de l'immédiat, ils n'ont pu apprendre à imposer une représentation dans l'univers mental des autres.

La mythomanie est fondatrice de notre destin ; c'est elle qui nous oriente et gouverne nos choix. Sans mémoire et sans rêves, quel sens aurait notre vie ? Dès l'instant où l'enfant devient capable d'inventer une fiction, il accède à ce qui fait le prix de la condition humaine. En « faisant semblant », à l'aide de gestes, de mimiques, de postures, plus tard de récits, il apprend à maîtriser les émotions insupportables et à agir sur le monde intime de ceux qu'il aime. Il y introduit les représentations qui lui conviennent : « Je vais profiter de cette égratignure sur mon genou pour créer un délicieux moment d'amour. » Plus tard, il dira : « Je vais "planter" dans ton monde intime une si belle image de moi que nous nous aimerons tendrement et nous estimerons beaucoup. Ma fiction modifiera le réel. »

Les enfants cessent de pratiquer cette mythomanie nécessaire le jour où leur réel se révèle plus avantageux que leur fiction. Aimés, estimés, acceptés par leurs proches, ils n'ont plus besoin de cette mythomanie fondatrice ; ils peuvent se faire aimer pour qui ils sont et non pour qui ils aimeraient être. Lorsque l'enfant peut exprimer avec ses mots des émotions difficiles, lorsqu'il se sent en sécurité affective, lorsqu'il n'est plus seul, lorsqu'il sait qu'il peut compter sur un autre, lorsque la réalité devient aimable, intéressante, voire amusante, alors la mythomanie perd son sens et son utilité.

L'adolescent élevé dans la sécurité affective s'amuse en inventant une fiction, alors que le solitaire, l'abandonné, le mal-aimé, se défend grâce à la fiction. Il est nécessaire qu'on le croie pour qu'il ne se sente plus en danger ; c'est même vital. C'est pourquoi ses récits sont vraisemblables, trop vraisemblables même. Le réel est toujours incohérent. Les dates sont imprécises, les sentiments ambivalents – un geste de haine pour celui que l'on aime, un

11

flou pour un souvenir incertain, un mystère à partir duquel on fait jouer notre imagination. Le mythomane n'a pas cette possibilité. Pour qu'on le croie, il doit être cohérent jusqu'à l'absurde. Alors, il s'alimente au réel, y puise des fragments de vérité : une visite de l'immeuble de l'OMS où il est censé travailler, un nom sur la porte d'un bureau qu'il citera, une revue spécialisée qui lui fournira des anecdotes si précises « qu'elles ne peuvent pas avoir été inventées ». Grâce à cette exactitude, cette cohérence, et à cause du récit paisible qu'ils en font, les mythomanes sont souvent plus crédibles que les témoins, qui eux se trompent, hésitent et, moins exacts, n'emportent pas pleinement la conviction.

Il n'est pas rare qu'un adulte s'offre de temps à autre un petit récit qui lui donne le beau rôle. Intimement sécurisé, en confiance avec son entourage, il accepte néanmoins de revenir au réel après son petit voyage en fiction. Le mythomane, lui, ne peut se permettre un tel détour : le réel est trop dangereux ou trop décevant. Il a besoin de demeurer dans le récit d'images qu'il s'est construit. Comment quitter ce monde imaginaire pour un réel horrible, voire vide ? Voilà son choix, vertigineux : exister joliment dans l'image ou se désespérer dans un réel insipide ; être un héros dans sa fiction ou n'être personne dans la réalité. Sa vie imaginaire l'emplit au point qu'il ne peut s'empêcher de la nourrir, jusqu'au jour où, de détail vrai en détail vrai, il provoque la faute qui le démasque. S'il est jeune, il fugue ; s'il est adulte, il fuit en abandonnant ses proches, de peur d'avoir à affronter une double chute : la chute dans le réel insignifiant, et la déchirure de l'image qu'il était parvenu à créer dans l'esprit des autres. La fugue, moins douloureuse, lui permet de garder l'espoir d'exister ailleurs.

Il est rare qu'un mythomane tue ceux qu'il aime pour sauvegarder son image. Premier cas : celui du mythomane qui, dans le désespoir de son inexistence, s'étant composé un personnage pour lutter contre la mélancolie, aura au moins connu cette beauté, ce petit bonheur avant sa mort. Mais à ce moment, son amour fusionnel entraîne ceux qu'il aime. Il les tue par amour, pour qu'ils n'aient pas à souffrir de la déception d'une image déchirée. Il les tue pour les protéger.

Deuxième cas de mythomanie meurtrière : celle qu'incarnent certains peuples humiliés, disséminés, désemparés, qui s'inventent un mythe pour résister à l'épreuve de la réalité politique et sociale. Apparaît un candidat héros qui s'engage à mourir pour sauver la multitude. On adore ce rédempteur, parce qu'il nous représente, et que son courage répare notre humiliation. Son sacrifice nous rachète et le place auprès des dieux. Le sentiment d'appartenance qu'entraîne son héroïsme est si délicieux que l'on serait heureux de mourir pour lui – car ce mythe aussi conduit à la mort amoureuse. Mais un tel candidat ne peut devenir héros que s'il incarne l'aspiration du groupe. Le personnage qu'il théâtralise met en scène les désirs désespérés de ceux qui l'aiment. Le peuple est humilié ? Son héros sera un surhomme. Est-il assiégé ? Le héros jouera les sauveurs rusés. Et quand la vie quotidienne l'écrase d'ennui, le héros, pour se réveiller, devra incarner un aventurier éphémère, un créateur d'événements exaltants. C'est dire combien les aventures du héros révèlent les désirs du groupe et de ses admirateurs.

Nos héros, aujourd'hui, côtoient la mort pour tenter de la feinter. L'Abbé Pierre, Mère Teresa, Lady Di – et Bernard Kouchner – incarnent les héros modernes, sauveurs de pauvres ou médecins baroudeurs. Lorsque la vie de Welche, le mélancolique, se vide jusqu'à la souffrance, lorsque le néant quotidien l'écrase sur son lit, immobile et pesant, Kouchner devient son seul plaisir à vivre. Il en rêve, il en parle, il le met en scène… *« Que dire, que raconter lorsqu'on ne vit rien ? »* Quand le réel est minable, quand on tue le temps dans les parkings des grandes surfaces, quand on va voir des prostituées par crainte de s'engager dans une relation affective, le réel devient une forme de non-vie précédant la mort. Au contraire, la mise en scène et la mise en récit de Bernard Kouchner et de l'Organisation mondiale de la santé (excusez du peu !) créent une représentation d'images et de mots qui déclenche un délicieux sentiment de rêve réalisé.

Welche construit son imaginaire avec des bribes de réel : un livre dédicacé par Kouchner en personne, une revue de toxicologie, d'authentiques connaissances sur le métabolisme du cholestérol, une carte de la forêt de Fontainebleau, « comme si » on allait passer la soirée chez Zorro-Kouchner. La beauté de l'imaginaire endigue la nausée du réel. C'est toujours ainsi que Romand s'est défendu contre la douleur d'inexister. Lorsqu'il était enfant, la peur de vivre l'avait rendu bon élève. On se sent tellement mieux dans les livres, qui nous protègent du réel, que dans le quotidien, où les copains nous bousculent et où l'émoi des filles nous angoisse.

De sa fuite devant le réel, Welche tire l'énorme bénéfice de n'être aimé et estimé que grâce aux productions imaginaires. De plus, au cours de son enfance, on lui a appris que le mensonge permet de fabriquer une forme de réalité. Jamais sa famille ne ment autant que lorsqu'elle dit : « Dans notre famille, on ne ment jamais. » Elle cache la honte terrible d'avoir un sexe, elle enfouit la tare d'avoir commis des avortements spontanés, elle tue le chien préféré au cours d'une chasse (un accident ? une intention délibérée ?) et affiche un visage serein pour masquer le déshonneur de souffrir de la mort d'une bête.

Plus on ment, plus le réel est cohérent, policé, supportable. Pourquoi, devant l'épreuve, ne retrouverait-on pas ce moyen imaginaire de maîtriser le réel ? Les bénéfices en sont tellement agréables ! Comme au théâtre, on éprouve ce sentiment provoqué par le jeu : ce n'est pas « pour de bon ». Et pourtant, comme on pleure ! Comme on s'enthousiasme ! Et puis, cette émotion est partagée ; on entraîne ceux que l'on aime dans le plaisir de nos représentations.

En cela, la mythomanie diffère de la rêverie. Elle agit sur le réel grâce à un monde menti. En composant une belle image de lui-même, le mythomane enjolive ses relations avec autrui, entraîne ceux qu'il aime dans ses fictions et partage la mise en scène du bonheur imaginé. Mais qu'il vienne à souhaiter la mort, il souhaitera aussi la partager. La rêverie, au contraire, permet d'échapper au réel insupportable ; elle isole et coupe des autres. Elle ne nous empêche pas d'ouvrir les yeux lorsqu'il faut affronter le réel, quitte à retourner le plus vite possible se réfugier dans le monde imaginaire.

J'ai connu un Polonais qui a survécu à Auschwitz grâce à Marcel Proust. Aux moments les plus terribles, quand chaque geste, chaque souffle lui étaient une torture, il s'isolait « dans une bulle » et cherchait à se remémorer les magnifiques phrases de Proust et ses images délicates. Mais il n'entraînait personne dans sa bulle ; il ne s'y réfugiait que pour se protéger du réel. À la Libération, sa rêverie est devenue réelle : il a traduit Marcel Proust dans sa langue. La réalité sociale étant redevenue vivable, il a donné vie au plaisir qui l'avait protégé de l'horreur du réel.

La rêverie est une métaphore de nos désirs, un précieux mécanisme de défense qui, dans l'épreuve, nous apporte un assouvissement imaginaire, mais qui peut ensuite se transformer en créativité. Le mythe, au contraire, est un rêve désespéré, un ultime combat pour un groupe humilié ou pour un individu sans existence. Le message du mythomane masque un réel désolé, alors que l'imaginaire du rêveur révèle ses désirs et en imprègne un réel transfiguré. La stratégie d'existence n'est pas du tout la même.

Si l'on y songe, tout ceci est parfaitement immoral : cela revient à dire que le mensonge et l'escroquerie ont une fonction identifiante ! Le mythomane, souhaitant se procurer la sensation d'être en vie dans le désert de son existence, raconte une histoire et incarne le héros dont son auditoire est avide. C'est dire à quel point son récit est profondément relationnel. Ainsi, il devient prisonnier du personnage qu'il a inventé. Il doit, pour lui « sauver la vie », passer à l'acte. Il faut partir le matin pour « aller au labo », expliquer de belles théories sur les variations culturelles du cholestérol... et surtout trouver de l'argent pour empêcher le réel fade de se répandre dans l'esprit de ceux qu'il aime. Aussi, le plus logiquement du monde, il s'approprie le bien des autres. Tout son talent de raconteur d'histoires bâties sur le réel, de metteur en scène sachant manipuler le monde mental d'autrui, est mis à contribution pour obtenir ce qu'il ne veut pas voler ! Il doit enfin incarner le rôle de l'initié désintéressé qui condescend à partager ses secrets, du brave, du généreux, du modeste – et savant de surcroît !

Le propre de l'escroc, c'est d'emporter notre confiance ; il ne nous sert que ce que nous espérons de lui. Ce rôle, il l'a appris en mimant les héros ; il sait en jouer pour obtenir l'argent qui lui permet d'entretenir le mensonge que le futur escroqué lui réclame.

Dès lors, tout le monde est embarqué dans un processus engloutissant. L'escroqué, complice libidinal, souhaite récupérer sa monnaie, compromettant par là même l'existence fabuleuse du mythomane. En souhaitant revenir au réel, l'escroqué fait tomber le mythomane dans le vide de son inexistence, puisque son identité, ses mots et ses actes n'expriment que son imaginaire. Ce qui équivaut à une condamnation à mort !

Or, quand les mélancoliques ont encore la force d'aimer, ils aiment de manière fusionnelle. N'ayant pas la force d'exister dans le réel, ils ne savent pas réellement qui ils sont, puisqu'ils ne s'identifient que par l'imaginaire. Leur érotisme est doux, très souvent mis en scène par le fantasme du sac de couchage. Nous serions ensemble, tendrement enfermés dans un même sac... Nous serions si bien enclos, l'un contre l'autre, que même l'acte d'amour, trop physique, trop réel, avilirait le sentiment. La mort me vient en tête, comme un apaisement. Il n'y a pas grande différence entre le vide du réel et le néant de la mort. Et quand le plaisir de la mort m'attire doucement, il entraîne avec moi ceux que j'aime « dans le même sac ». En les tuant par amour, je libère la meilleure part de moi. Je vais la rendre heureuse, l'emmener faire le tour du monde, elle qui m'a permis de l'aimer. Grâce à la mort que je vais leur donner, nos enfants n'auront connu qu'un père tendre héros. Je veux leur épargner le réel, fade jusqu'à la nausée. Je veux aussi sauver mes parents d'une terrible désillusion. Donner la mort n'est pas un grand crime quand on aime de cette manière.

Le procès de Jean-Claude lui impose pourtant le réel détesté. Les questions des juges, l'audition des témoins le torturent. Pas de fuite possible dans l'imaginaire : cette fois, il faut répondre, s'étonner de ce que l'on a dit, s'éberluer de ce que l'on a fait. L'angoisse du réel le met au supplice, physiquement. Jean-Claude ne peut plus échapper à la souffrance. Il tombe par terre et hurle comme une bête.

Incarcéré, il jeûne, maigrit terriblement, n'entend plus personne, ne voit plus rien. Coupé du monde réel, contraint à une plongée intérieure dans un état second, il fait le parcours de tant de mystiques : il passe de l'angoisse à l'extase ! Il rencontre le Christ, lui aussi torturé pour sauver ceux qu'il aimait, lui aussi créateur d'un monde de beauté et rédempteur, comme tous les héros. « Bienfaiteur », comme le décrit Philippe Romon dans ce roman réel, Jean-Claude est décidé à faire le bien comme il l'a toujours fait, même en tuant. Mais cette fois, il le fera dans un réel rendu magnifique par la transfiguration de la foi.

Boris CYRULNIK

Avant-propos

De *L'Adversaire* au *Bienfaiteur*

Je n'ai pas rencontré Jean-Claude Romand.

Au cours de l'été 1997, me parvint un courrier adressé de Villefranche-sur-Saône, selon le cachet de la poste, mais sans précision quant à l'expéditeur. Sur l'enveloppe, l'écriture était petite et pointue, féminine me sembla-t-il – ce qui, sur le coup, me troubla : quelle amante lointaine ressurgissait du passé pour – éventuellement – perturber ma vie actuelle ? Mais il ne s'agissait pas de cela, comme je pus m'en rendre compte en dépliant la lettre. « Jean-Claude Romand, M. A. de Villefranche, B.P. 482 », disait l'en-tête manuscrit. « M. A. » pour « maison d'arrêt », bien entendu. Romand m'écrivait en réponse à une requête que j'avais formulée plusieurs mois auparavant : je souhaitais le rencontrer afin de réaliser, dans un premier temps, un portrait de lui qui paraîtrait dans *Sélection du Reader's Digest* et, dans un second temps, un livre.

En guise d'introduction, Jean-Claude Romand commençait par me demander pardon. Un pardon en soi bien anodin (« d'avoir tant tardé à vous répondre »),

21

mais aujourd'hui encore, alors que je relis sa lettre, cette expression me paraît révélatrice du personnage, abîmé dans la commisération de soi : en courbant ainsi l'échine, il se plaçait *de facto* en victime expiatoire, et me mettait moi en position de juge, voire de bourreau ; car si, une fois de plus, il avait fauté, ne méritait-il pas, une fois de plus, la grâce ?

En fait, m'expliquait-il, son retard était pour la bonne cause : il avait voulu prendre le temps de la réflexion. Deux points le préoccupaient plus particulièrement. D'une part, des « blancs » interrompaient encore le fil de ses souvenirs, rendant donc inutile à ses yeux toute rencontre avec un journaliste ou un écrivain ; d'autre part, il n'excluait pas, une fois corrigées les défaillances de sa mémoire, de se mettre lui-même au travail de l'écriture – ou, plus exactement, « de donner forme à quelque chose qui soit bénéfique pour tous ceux qui se sentiront concernés ». Quoi qu'il en fût, le moment n'était pas venu pour lui « de participer même par un simple témoignage à une publication ». Il terminait en espérant que je comprenne « le sens de cette fin de non-recevoir » et en m'exprimant ses « sentiments les meilleurs » (pour ma part, je m'étais contenté de lui adresser mes « salutations », sans autre qualificatif).

Je ne trouvai rien à objecter à ses explications ; il souhaitait tout simplement qu'on lui fiche la paix, et au moins s'était-il donné la peine de me répondre. J'ignorais alors qu'en réalité Romand continuait à mentir, puisqu'il avait accepté de rencontrer un autre auteur, comme j'allais l'apprendre en lisant, trois ans plus tard, *L'Adversaire* d'Emmanuel Carrère[1]. Je

---

1. P.O.L., 2000 ; Gallimard, coll. « Folio », 2001.

savais que Carrère était sur les rangs à l'époque, l'avocat de Romand m'en avait touché un mot. Mais celui-ci m'avait aussi laissé entendre qu'il s'était efforcé d'écarter la candidature de Carrère, pour des raisons dont la vénalité était à peine masquée par un alibi caritatif : « Êtes-vous disposé à reverser l'argent que vous rapportera votre livre à une association d'entraide aux enfants victimes de meurtriers ? m'avait-il demandé. Parce que l'autre, là, n'a pas voulu. Et vous savez que je peux avoir de l'influence sur mon client. » Assez hypocritement, j'avais répondu que cela pouvait se discuter...

Quelle qu'en fût la raison réelle, le refus que m'adressa Romand se révéla en fin de compte bénéfique. En ne me permettant pas de le rencontrer, il m'a forcé à plonger plus avant dans l'énigme que nous pose son geste terrible, à sonder sa personnalité sans en subir la contamination, le charme, les incessantes entreprises de séduction. Dans *L'Adversaire*, il me semble que Carrère tombe, à son tour, dans le piège que le sujet de son enquête n'a pas pu s'empêcher, comme le scorpion de la fable, de lui tendre. En particulier, lorsque Romand lui demande « le nom de son eau de toilette », et que Carrère se dit « touché par ce que cette demande avait de simple et d'amical ». *Amical*, Jean-Claude Romand ? C'est précisément sous cette apparence – celle de l'ami, du *bienfaiteur de l'humanité* – qu'il s'est, tout au long de sa vie de mensonge et jusque dans le meurtre, présenté... Mais Carrère tombe à ce point sous le charme qu'il en vient à invoquer « la petite Thérèse, pas encore de Lisieux » pour justifier que sur Romand, à présent tourné vers « la Grâce et l'Amour de Dieu », on porte un regard de charité chrétienne ! Le pardon n'est pas loin. Et de l'Adversaire (qui désigne Satan dans l'Ancien Testament, nous rappelle l'auteur au début de son ouvrage) nous sommes passés au Christ – J.-C., comme Jean-Claude, pour les intimes... Non, décidément, je n'ai pas envers mon « bienfaiteur » le regard attendri de la petite de Lisieux.

Ne pouvant personnellement rencontrer le meurtrier, j'ai cherché à recueillir les témoignages de ceux qui l'ont connu : ses amis, les membres encore en vie de sa famille dévastée. Leurs paroles ne furent pas faciles à venir, on s'en doute, et d'ailleurs ne me furent pas d'une grande utilité pour le projet dont la conception, peu à peu, prenait forme. Pour écrire l'histoire de Jean-Claude Romand, il me paraissait désormais essentiel de m'en distancier, de le maintenir à l'écart pour permettre à un certain travail de se faire : celui qui consiste, par l'écriture, à donner vie aux personnages du drame. Florence, notamment, sa femme, dont j'ai conservé, comme en hommage, le prénom. Et ses parents... Les patronymes, en revanche, ont été modifiés, parfois à la demande des témoins concernés. Quant au principal protagoniste de l'affaire, Jean-Claude Welche, son nom, orthographié « Welsch » en allemand, signifie « romand ».

Le texte qui en résulte s'apparente à la catégorie de ces livres que l'édition américaine appelle « *true crime* », ou « fait divers romancé ». Tous les *faits* évoqués dans ce qui suit sont exacts, tels qu'ils ont été consignés dans le rapport d'instruction auquel j'ai eu accès, puis tels qu'exposés lors du procès. Pour le reste, il s'agit d'une histoire, celle d'un mythomane qui, au terme de vingt années de mensonge, tue sa femme, ses deux enfants, son père et sa mère. Une histoire avec des personnages dont j'aimerais pouvoir dire que « toute ressemblance avec des personnes existant ou ayant existé n'est que pure coïncidence », mais ce serait là aussi se prendre pour le Bienfaiteur.

Prologue

Tribunal de grande instance de Bourg-en-Bresse
12 janvier 1993

— Votre nom? demande le juge d'instruction. Votre âge et votre lieu de naissance? Votre profession?

— Je m'appelle Jean-Claude Welche. Je suis né le 11 février 1954 à Lons-le-Saunier. Je travaille comme chercheur dans le domaine médical à Genève, pour la société Arab SA & United Kuweit...

— Arab SA & United Kuweit?

— C'est exact. Cette société est installée à la Maison de l'Arabie. À Genève, comme je viens de vous l'indiquer.

— Bien. Dites-nous à présent ce dont vous vous souvenez à propos de ce dimanche soir.

— Ce dimanche soir, dit-il, je me trouvais dans ma chambre avec ma femme. Les enfants étaient couchés depuis 20 h 30, puisqu'ils devaient aller à l'école le lendemain. Florence dormait.

Il déglutit; à cause du lavage d'estomac, avaler lui fait mal. Mais il veut être aussi précis que possible dans ses réponses. Il se cale contre les oreillers et remonte son bras afin de ne pas être gêné par la sonde.

— Je lisais, lorsque j'ai entendu un grand bruit au rez-de-chaussée. J'étais intrigué. Je me suis levé. En ouvrant la porte de notre chambre, j'ai vu des flammes provenant de l'escalier. Et au pied de cet escalier, un homme armé, vêtu de noir. Il m'a regardé et a commencé à monter les marches. Je l'ai vu entrer dans la chambre des enfants. Et là... Je ne peux pas dire combien de coups de feu il a tiré. Mais c'était terrifiant. Il tirait comme s'il voulait tout détruire.

— Vos parents aussi, dites-vous ? Mon Dieu, quelle horreur...

— Je ne me connais pas d'ennemis. Je n'ai jamais eu d'activités politiques. Dans mon milieu professionnel, j'exerce mes responsabilités de façon, disons, exigeante, mais je sais que mes équipes m'apprécient aussi pour mes qualités humaines... J'ai beau chercher, je ne vois pas qui aurait pu m'en vouloir.

— Qui était votre employeur ? Pouvez-vous nous le rappeler ?

— Absolument : la South Arab United. C'est bien ce que j'ai dit tout à l'heure, non ? Si je ne me souviens pas précisément du nom de cette société, c'est que j'y travaillais depuis peu. Je veux dire que j'exerçais chez eux mes fonctions de consultant depuis le printemps 92. Vous pouvez vérifier, mon bureau est au numéro 18, quai des Bergues à Genève. Juste à côté d'une banque, la United Overseas Bank.

Le juge d'instruction ne dit rien.

— Bien, j'ai compris : vous voulez savoir la vérité, n'est-ce pas. À vous, je peux la dire. Jusqu'à une date récente, je n'avais pas à proprement parler d'activité professionnelle. Je m'occupais surtout de… de finances. Les miennes aussi bien que celles d'autres personnes.

Un temps. Il reprend :

— Cette femme dont vous dites qu'elle a été ma maîtresse et que vous m'accusez d'avoir agressée – elle m'avait confié une grosse somme d'argent. Plusieurs centaines de milliers de francs, que j'étais chargé de faire fructifier… Une grosse somme, oui, je vous le confirme. Quant à mes propres parents…

— Oui ?

— Mes propres parents ne savaient pas que je ne travaillais pas… Ils me croyaient chercheur, à l'OMS… C'est l'Organisation mondiale de la santé, à Genève. Tout le monde le croyait, puisque je le leur avais fait croire. J'étais pris dans un engrenage…

— Et comment comptiez-vous en sortir ?

— Écoutez-moi. Le suicide… fait mal à ceux qui restent. Je n'aurais pas pu leur faire ça… Je vais vous dire la vérité. La vérité, c'est que je ne travaille pas pour la United Arab… De l'OMS, je ne connais que la bibliothèque, ouverte au public. Je fréquentais aussi la bibliothèque universitaire de Genève, pour me documenter, pouvoir donner le change… C'est tout. C'est tout ce que je faisais de mes journées. J'allais aussi en forêt… Mais je ne les ai pas tués. Je n'ai tué personne. Il faut me croire.

— Bien.

Le juge d'instruction s'adresse au greffier :

— Mentionnons que nous suspendons l'interrogatoire à 14 h 30.

À leur retour, Jean-Claude Welche se tourne lentement vers ses interlocuteurs en faisant un effort pour se redresser. Puis il laisse retomber sa tête sur l'oreiller :

— J'ai quelque chose à vous dire.

Il ferme les yeux.

— Je reconnais les faits qui me sont reprochés.

1

Comme tout le monde, Jean-Claude voulait être aimé. Au début de sa vingt-et-unième année, il comprit que le moyen le plus sûr d'y parvenir n'était pas de susciter l'admiration ou la sympathie, mais la pitié.

C'est un soir de février et pourtant il ne fait pas très froid. Il pleut un peu. Cela lui convient parfaitement, qu'il pleuve un peu un jour comme celui-là.

Ils se rendent au Cosmos, une boîte pour étudiants sur les bords de la Saône, à la sortie de Lyon.

— Et toi, qu'est-ce que tu en penses ?

Comment ? Il n'a pas écouté. Il songe aux derniers partiels, qui ont eu lieu dans l'après-midi. Il se dit que la vie est simple lorsqu'il suffit de réussir ou de rater ses examens.

Pour lui, une dissection est une dissection, dit-il.

Il n'a pas le choix, lui. Qu'est-ce qu'il donnerait pour être, comme eux, soulagé de les avoir passés. Rien que ça.

— Je n'ai jamais eu beaucoup d'imagination pour inventer des histoires, ajoute-t-il.

Pas comme Étienne, qui raconte sa dernière autopsie – il fait toujours ça pour impressionner les filles.

Levant les yeux vers le rétroviseur, il tente de distinguer dans l'obscurité l'expression de leurs visages. François est à moitié assoupi contre la portière. Assise au milieu, entre les garçons, Anne fait sa mijaurée, mais c'est elle qui a lancé la conversation sur les T. P. à la morgue.

Florence est à côté de lui, renfrognée. Depuis qu'ils sont en route, elle n'a pas dit un mot. Il sait bien qu'elle aurait préféré sortir seule. Mais c'est lui qui a la voiture. Et son père, est-ce qu'il aimerait apprendre que sa fille va en boîte sans Jean-Claude ?

— C'était mon anniversaire aujourd'hui, dit-il soudain.

Il a dit « c'était » pour conférer à l'événement un caractère inéluctable : personne n'a songé à le lui souhaiter ? Tant pis pour eux !

Florence tourne vers lui une moue étonnée. Pourtant, il ne ment pas : c'est bien le jour de ses vingt et un ans.

— Vingt et un, oui, confirme-t-il.

— Ben dis donc, s'étonne une voix à l'arrière.

Il est vrai qu'on lui en donnerait davantage. Il paraît sans âge, en fait. Pas seulement à cause du recul de sa ligne capillaire, qu'il dissimule déjà en rabattant les cheveux vers l'avant. Mais ses formes molles, ses costumes gris et son air de chien battu font de lui une sorte de vieux bébé. « S'il portait une robe, dit de lui Étienne en aparté, il ressemblerait à ma concierge. »

— Jean-Claude, va falloir fêter ça !

À la fac, tout le monde l'aime bien. Peut-être pour son regard, ses yeux bleus si doux derrière d'affreuses lunettes de commentateur sportif. Ou pour l'ourlet un peu trop tendre d'une lèvre toujours sur le point de trembler, et que les filles ne peuvent que prendre en affection.

Comme les filles, les garçons ne l'interpellent jamais par son nom de famille. Welche, ce serait trop viril pour lui.

Non, dit-il, il ne croit pas qu'il fera la fête. Il a encore du travail. Mais qu'ils ne s'inquiètent pas, il reviendra les chercher !

Jean-Claude est un de ces compagnons fidèles et serviables que l'on finit par oublier dans le groupe, mais qui reste toujours prêt à rendre service. Parfois, il aimerait tous les laisser tomber ; mais ça non plus, il ne peut pas se le permettre.

— Allez, dit Florence avec exaspération. Reste avec nous.

Toutes les filles l'aiment bien, sauf elle, qui ne sait pas encore qu'elle va l'aimer définitivement.

— C'est vrai quoi, renchérit Étienne, faut que tu surveilles ta cousine !

Il la regarde danser. Une seule fois, elle lui a proposé de l'accompagner. « Allez hop ! Debout ! » Elle l'avait tiré par la manche, il s'était levé à moitié, le reste du corps en poids mort sur la banquette, faisant « non non non non » avec un petit rire idiot, avant de dégager son bras et de se rasseoir lourdement. Il n'aime pas cette musique, il n'aime pas cet éclairage violacé qui donne à Florence un sourire d'extraterrestre et dessine outrageusement ses seins sous le chemisier blanc fluo — dire qu'elle ne porte même pas de soutien-gorge ! Il n'aime pas cet endroit, parce qu'il s'y sent trop seul.

Il la regarde se trémousser pendant qu'il macère dans sa souffrance, chaque pulsation des basses, un coup au cœur. D'abord, elle n'est pas sa cousine ; pas de sang, en tout cas.

— Ça va, mon doudou ? dit Anne en lui ébouriffant les cheveux. Viens, c'est un slow.

Il accepte cette fois de se lever. Elle le lui a proposé en bonne copine, mais il s'en fiche. Il ne lui en veut même pas de le tenir à bout de bras, pendant que les autres se collent, et de le faire bouger comme on montre un ours.

Seulement la douleur ne s'en va pas. Pour cela, il faudrait qu'il n'existe plus. Il le savait, d'ailleurs. Il aurait effectivement mieux valu ne pas rester.

Il s'est retrouvé à l'air libre. Entre les étoiles passent des nuages. C'est étrange comme il ne fait pas froid, se dit-il. Et comme il se sent seul, tout à coup. Des larmes lui montent aux yeux. Tout à l'heure aussi, il se sentait seul, mais ce n'était pas pareil ; à présent, elle ne sait même pas qu'il souffre.

Il monte dans sa voiture. Le plastique froid du volant contre lequel il pose son front le réconforte un peu. Mais il ne veut pas être réconforté ; il veut être inconsolable.

Il met le contact et la voiture sort lentement du parking. Tant pis pour eux.

Il a roulé. La destination lui importait peu, l'essentiel était de laisser les autres derrière et de s'avancer, de s'enfoncer dans la nuit. S'enfoncer dans la nuit, c'est bon. C'est chaud. C'est un peu poisseux, comme du sang. C'est comme de rouler dans un couloir de chair. Rouler la nuit, tous les enfants aiment ça. Les tunnels, avec papa qui conduit. Traverser des forêts profondes. La peur, elle vient plus tard.

34

Il a fermé très brièvement les yeux pour ne pas voir le sang dégouliner sur le pare-brise. Machinalement, il a levé le pied. Cela lui arrive parfois : pas des hallucinations, plutôt l'appréhension d'en avoir. Mais toujours il ferme les yeux à temps.

Il conduit par à-coups. Pour jeter la voiture contre un arbre ou le véhicule venant en face, il enfonce soudain l'accélérateur, avant de le relâcher aussitôt en tremblant.

« Calme-toi, se dit-il. Ta façon d'agir n'est pas normale. Tu es sur le point de ne plus te contrôler. » Et il se répète mentalement cette phrase, comme une formule magique qui lui éviterait de basculer dans la folie.

Il roule ainsi jusqu'à la sortie de Lyon, puis il continue sur la nationale, puis une départementale, la route de plus en plus étroite. Il finit par se retrouver loin de toute agglomération, du noir tout autour de lui.

Sans qu'il s'en aperçoive, il a ralenti au point de rouler au pas. Des champs, et puis le début d'une forêt. Il s'arrête. Les arbres sont des fantômes dressés dans la nuit. Il a peur. Dehors, dans la nuit, il a toujours eu peur. De ne plus pouvoir rentrer. D'être suivi. Même dans la voiture, il n'est pas à l'abri. S'il se retournait maintenant, il verrait quelqu'un sur la banquette arrière. Ou à côté de lui. Et là, dans les phares ? Derrière cet arbre ? Qu'est-ce qui a bougé ?

Vite, coupe tes phares !

L'obscurité qui l'enveloppe le calme, le temps que le petit lait de la nuit se répande, que les formes autour de lui se reconstituent. Ce ne sont que des arbres, en fin de compte, des buissons, il n'y a personne autour de lui, il n'y a jamais eu personne. Ni dans la voiture, ni sur la route. Les champs sont déserts, la forêt est silencieuse, il est seul au monde. Il ferme les yeux.

Peut-être qu'il s'est assoupi. Quand il rouvre ses yeux, il ne sait pas combien de temps s'est écoulé. La montre du tableau de bord lui indique qu'il est 1 h 45, mais à quelle heure a-t-il quitté le Cosmos ? Jusqu'où a-t-il roulé ? Mon Dieu, les autres doivent s'inquiéter ! À moins qu'ils ne soient rentrés chez eux sans même l'attendre… Il n'avait pas le droit de laisser Florence comme ça.

Ils se sont aperçus de son absence dès 2 heures du matin, mais sans trop se faire de souci. À 3 heures, cependant, il n'est toujours pas revenu. L'ambiance est retombée, ils ont maintenant hâte de rentrer se coucher. Ils décident d'attendre dehors.

Dans la nuit, les vêtements sentent le tabac et la sueur, les bouches sont sèches, les esprits dégrisés. Le néon du Cosmos qui éclaboussait le parking de sa lueur rose s'éteint. Ils frissonnent. Une petite pluie s'est mise à tomber.

— Comment on va rentrer maintenant ? dit Anne en écrasant du bout du pied le mégot de sa cigarette.

Soudain leur attention est attirée par une R5 qui s'engage à faible allure de l'autre côté du parking.

— C'est lui !

La voiture arrive à leur hauteur, vitres baissées. Il ne semble pas les reconnaître.

— Ben alors, où t'étais ?

Ouvrant la portière en silence, il s'extrait péniblement de la voiture. Il a l'air de souffrir. Ses yeux regardent sans lunettes, lesquelles sont pliées dans sa main comme s'il s'agissait d'une pièce à conviction.

Sa chemise, froissée et maculée de taches, est déchirée à l'encolure.

— Jean-Claude, mon Dieu! s'exclame Florence en se précipitant vers lui.

Elle s'arrête, hésite, puis lui tend les bras.

— Mais qu'est-ce qu'il t'est arrivé?

— Rien de grave, gémit-il.

Un faible sourire fait trembler le bas de son visage. Il se raidit.

— Ne vous inquiétez pas pour moi.

— Mais tu saignes!

Il présente en effet des coupures au front et des taches de sang séché au coin des lèvres et sur le menton.

— Non, non, ça va...

— Mais si, tu saignes! Étienne, François, aidez-moi donc! Anne!

Il tend mollement un bras et se laisse guider vers un plot de béton et s'assied en secouant la tête avec accablement. Il a été agressé, murmure-t-il. Ici, sur le parking. Il désigne l'endroit où la voiture était garée en début de soirée. Alors qu'il s'apprêtait à y récupérer un paquet de cigarettes, trois types s'étaient approchés. Des Maghrébins, dit-il. L'un d'eux brandissait un couteau. À cran d'arrêt. « Ton fric! » Il leur a tendu son portefeuille. « Et les clés! On va t'emmener faire un tour... » Bousculé, ligoté, il est jeté à l'arrière de la voiture, qui démarre en trombe.

— Ahurissant! s'exclame Étienne. Incroyable! Ici même, devant l'entrée! Les salauds!

Incroyable, confirme-t-il. Et ce n'est pas tout. Ils ont roulé un long moment, peut-être une demi-heure, une heure. Ils ont fini par s'arrêter sur le bord de la route et l'on fait descendre. « Tu fermes ta gueule, pigé ? » Puis ils ont filé vers une voiture qui les attendait.

— Comme ils me l'ont demandé, je n'ai pas cherché à appeler à l'aide. J'osais à peine bouger… Quand j'ai vu qu'ils ne reviendraient pas, j'ai finalement repris la route… Au bout d'un moment, j'ai compris que je n'étais pas loin de Bourg.

— Bourg-en-Bresse ? Ça fait une trotte, constate François.

Il était tellement secoué qu'il a dû s'arrêter pour vomir.

— Mais c'est peut-être grave, s'insurge Florence. Tu as mal, mon pauvre nounours ?

Jean-Claude peut constater que toute la réserve, la froideur qu'elle manifestait à son égard au début de la soirée s'est à présent transformée en gestes d'affection dont elle ne l'avait jamais gratifié jusqu'alors. Comme en proie à une soudaine lancée de douleur, il serre les dents.

— Un peu, là, dit-il en lui prenant la main pour qu'elle puisse sentir ses côtes.

— Ils ne t'ont pas ménagé… Mon pauvre Jean-Claude.

Elle lui caresse la joue, qui gratte virilement à cette heure.

— Putain, fulmine Étienne. C'est vraiment dégueulasse. Des bougnoules, hein, c'est bien ça ?

Des Maghrébins, reprend-il. Oui. C'est en tout cas ce qu'il lui a semblé.

— Mais laisse, ajoute-t-il, ça n'a plus d'importance, maintenant.

— Comment ça, plus d'importance ? Et les flics ? Il faut les signaler aux flics !

C'est déjà fait, dit-il doucement : il s'est arrêté au commissariat de Bourg, remplir les formalités.

— Et ils disent quoi? Ils les connaissent?

Non, il ne croit pas.

— Ne t'énerve pas, Étienne. L'essentiel, c'est que je vous aie retrouvés.

Il ajoute :

— Mes amis.

Ce ne fut pas son premier mensonge.

2

Tout avait commencé l'année précédente.

En juin, il ne s'est pas réveillé pour l'épreuve de biochimie.

S'il est inquiet, il ne le montre pas. Pour passer, il lui manque à peine douze points, qu'il rattrapera facilement en septembre. Il avait de toute façon prévu de potasser ses cours pendant l'été. « Ne vous faites pas de souci », dit-il à ses parents.

Du souci, sa mère s'en fait toujours. Son père, c'est l'inverse ; si Jean-Claude lui dit de ne pas s'en faire, alors il ne s'en fera pas. Il a toujours été un si bon élève ! C'est vrai, il y avait eu ce moment pénible, l'année où il préparait les grandes écoles, à Lyon, quand il avait dû abandonner dès le premier trimestre parce qu'il était tombé malade. Et sa première année de médecine, redoublée, aussi pour raisons de santé. Après tout, sa mère n'a peut-être pas tort de s'inquiéter, songe-t-il en montant dans sa chambre, d'où il pourra, allongé comme autrefois sur son petit lit, suivre par la fenêtre le défilé des nuages dans le ciel, entre les arbres, et rejoindre Florence dans ses rêves.

Pendant ces deux mois passés chez ses parents, à Belvaux-les-Lacs, il n'a guère eu l'occasion de la voir. Elle aussi a échoué en juin et son père, autrement moins conciliant que celui de Jean-Claude, ne lui accorde plus qu'une chance, la dernière. Finis les copains et la rigolade, elle a intérêt à réussir en septembre. Sinon, elle viendra travailler à l'usine avec lui. Elle pourra toujours être secrétaire.

Jean-Claude s'est consolé de son absence en allant se promener au bord du plus grand des deux lacs qui attirent, l'été, touristes et moustiques à Belvaux. Tôt le matin, quand le soleil commence à mordre dans le bleu du ciel, il enfile ses espadrilles et, sifflant Choupette, il descend vers le terrain de camping. En passant devant les caravanes et les petites tentes colorées, il se demande si lui aussi connaîtra des vacances de ce genre en compagnie de Florence. Probablement pas. L'idée de devoir aller se doucher avec tous ces gens, le matin, de partager les mêmes cabinets, de manger dehors, devant les voisins, ne lui plaît pas tellement. Ce qu'il aimerait, c'est juste se glisser sous une tente avec elle, tout fermer comme un cocon en remontant la fermeture Éclair, et dormir contre elle dans un sac de couchage.

Il aime bien aussi l'odeur du café chaud, qui se mêle à celle de la rosée matinale.

La chienne est déjà toute trempée d'avoir couru dans les prés. Il l'appelle : « Reste avec moi. » Quand le lac lui apparaît, étincelant entre les sapins bleutés et les hautes achillées blanches, il pousse un soupir de contentement. Il poursuit son chemin jusqu'aux berges marécageuses et là, laissant le soleil caresser son visage, il scrute la surface verte de l'eau à la recherche du visage de Florence. Combien de fois ne sont-ils venus jouer ici, enfants, pendant que leurs parents restaient à table là-haut, avec les cousins et les oncles, toute la famille rassemblée ; un jour, il avait seize ans et elle quatorze, elle lui avait même pris la main, sur le petit ponton où sont amarrées les barques, et ce jour-là il a su qu'elle serait à lui pour la vie.

Florence aimera les lacs, se dit-il. Après tout, elle a grandi sur les rives de celui d'Annecy. Un jour, il l'emmènera bien au-delà de ces montagnes, sur les mers et les océans ; ils feront le tour du monde. Seuls, elle et lui, à travers l'immensité du monde ! En attendant, songe-t-il avec un petit rire indulgent, à cette heure-ci elle dort certainement encore. Une vraie marmotte ! Il ferme délicatement les yeux, et se laisse porter jusqu'à la lisière des songes de Florence par le paisible clapotis des vaguelettes qui se forment autour des rochers à fleur d'eau. Il inspire profondément ; maintenant, l'odeur montante des centaurées et des ombellifères se mêle à la coulée sombre de ses lourds cheveux que la nuit a répandus sur le drap blanc : dans l'air frais du matin qui glisse sur le lac, c'est Florence qu'il hume, et la chaleur du soleil est l'étoffe qui lentement découvre ses épaules hâlées.

Il soupire encore. L'aime-t-elle seulement ? Bien sûr, puisqu'ils ont fait l'amour… Cela s'est passé pendant le week-end du 1ᵉʳ mai. Il était resté à Lyon, elle aussi. Pour travailler – leur prétexte à l'un et à l'autre, en fin de compte. Après une journée de patience à plancher les cours, il était passé à l'appartement qu'elle occupait avec Anne, pour l'emmener au cinéma. Comme prévu, Anne était rentrée dans sa famille. La voie était libre. L'année d'avant, à cause de son père, Florence logeait chez les bonnes sœurs ; et chez lui, dans son propre studio de la rue Calmette, Jean-Claude savait qu'il n'aurait pas pu faire le premier pas. Il n'aurait pas su dire pourquoi, mais il fallait que ça se fasse chez elle. Que le premier pas, en fait, c'était elle qui devait le faire.

Il pleuvait quand ils sont sortis de la salle ; sous l'averse, il a eu le sentiment que la ville désertée leur appartenait. Ils ont trouvé refuge dans une pizzeria, où elle a accompagné son repas d'un tout petit verre de vin, pour se réchauffer et sans doute aussi pour se donner du courage. Lui, comme d'habitude, s'est contenté d'un coca. À la fin du repas, elle lui a demandé de la raccompagner chez elle : il y avait dans ses cours d'anatomie un point qu'elle aurait aimé se faire expliquer. Un cours d'anatomie ? Il n'avait pas su quoi répondre.

Mais les choses s'étaient déroulées avec une incroyable facilité – comme elle l'avait prévu, lui sembla-t-il. Il n'avait eu qu'à se laisser faire. C'est bien elle qui lui avait tendu les lèvres, alors qu'ils étaient côte à côte penchés sur la copie, et il n'avait plus eu qu'à lui poser la main sur les seins : c'était tendre, incroyablement tendre et puis, basculant de la table au lit, il avait ressenti, venu du plus profond de lui-même, ce désir extraordinairement fort de la serrer dans ses bras, de la toucher et l'embrasser encore, à pleine bouche, de mêler son corps au sien et, enfin, obéissant toujours à des forces dont il n'avait jamais soupçonné l'existence, alors qu'elle s'était offerte en l'encourageant d'une main plaquée sur sa nuque, il l'avait pénétrée.

Sans brutalité, le plus naturellement du monde, ils faisaient l'amour. C'était incroyable. Qu'elle lui permette de l'aimer constituait pour lui une immense récompense, la justification de toutes ces années de solitude, quand l'enfant qu'il était se savait déjà vieux puis, à l'âge où l'on doit se montrer un homme, l'humiliant sentiment d'être encore un gamin – ces années interminables où il avait été malheureux sans comprendre pourquoi. L'apaisement qu'il ressentait dans ses bras était sans limite, une communion avec l'univers tout entier ! Un gouffre aussi, un arrachement, une torture de tout son être à chaque fois qu'elle se refusait à lui. Et elle ne s'est pas donnée souvent, depuis ce fameux jour de mai.

Il est tiré de sa rêverie par les aboiements de Choupette. La chienne s'est élancée à la poursuite d'un mulot ou quelque autre bestiole ; Jean-Claude l'observe un instant s'ébattre dans l'eau peu profonde. L'aime-t-elle vraiment ? se demande-t-il encore. Il en doute, tout à coup. Il aurait pourtant tellement voulu l'avoir à ses côtés, là, en ce moment précis, et la voir porter sur le lac calme et si plein de promesses le même regard amoureux que lui. Il ne pourra désormais plus vivre sans elle, c'est une certitude. Il sait qu'avec le temps elle l'aimera, intensément. Lui et personne d'autre que lui. Il ne peut en être autrement.

Il pose un regard affectueux sur sa chienne. Du museau, elle fourrage dans une touffe d'herbe moussue tout en s'appliquant à émettre des grognements qui le font sourire. S'accroupissant à côté d'elle, il lui gratte l'encolure. « Allez viens, Choupette. On rentre. »

Comme c'est dommage, songe-t-il en revenant sur le chemin, de devoir se casser un bras par une si belle journée.

3

Ayant travaillé tout l'été, il s'était senti fin prêt à l'approche des épreuves de septembre.

Mais le voici allongé sur son petit lit, le poignet droit enserré d'un bandage. Éparpillée autour de lui, la collection complète des *France-Football* de 1962 à 1966 – la grande fierté de son père. Lui aussi aime bien le foot, en spectateur. Une fois, au pensionnat, il s'était risqué à courir derrière un ballon, mais pour se retrouver presque aussitôt avec la cheville déboîtée.

Sur une étagère, à portée de sa main valide, reposent deux gros ouvrages de médecine, bien en avance sur son programme ; le premier traite du diabète insulinorequérant, le second est consacré aux hyperlipidémies. Un classeur renferme les cours. À côté de ces volumes, mais toujours accessible pour peu qu'il se redresse, la collection complète des *Six Compagnons*. Sa fierté à lui. Toute son enfance.

Par la fenêtre, le hêtre du jardin lui adresse un petit salut de sa branche déjà clairsemée. Le vent souffle du nord et annonce l'automne, alors que les journées sont encore belles.

Un entêtant parfum de chocolat lui parvient de la cuisine. Sa mère est en train de préparer le gâteau qu'il emportera à son épreuve de rattrapage. C'est son père qui va le conduire à Lyon. Jean-Claude aurait pourtant préféré ne pas bouger. Pas à cause de son bras, il ne s'est pas réellement blessé lorsqu'il a fait semblant de trébucher dans l'escalier pour aller répondre au téléphone, mais parce qu'il y a des jours, comme aujourd'hui, où il voudrait ne jamais avoir à quitter cette maison, cette chambre, ce lit. Seul au monde. Sans Florence, mais avec la pensée de Florence.

Il s'assoupit.

Quand il se réveille, il aperçoit, perchée sur le rebord de la fenêtre, une corneille qui le scrute de son œil noir et absolument immobile. Un instant, il s'imagine que l'oiseau n'est pas vivant, qu'on lui a fait une mauvaise farce, avec un animal empaillé, pour l'effrayer. Jean-Claude frissonne. Qui pourrait lui en vouloir ainsi? Puis l'oiseau s'envole : il n'était peut-être qu'un rêve, le masque de ses rêves, l'ombre de la nuit.

Ils prennent la route, ça tourne. Jean-Claude ne se sent pas très bien. Il n'a jamais aimé la façon dont son père conduit. Son manque d'assurance. Et depuis quelque temps, le diabète qui affecte sa vue. Son père qui tourne à présent ses lunettes aux verres épais vers lui et s'inquiète :

— Tu as mal, mon Jean-Claude?

— Oui, un peu. Je sens bien que le poignet est cassé. À Lyon, j'irai consulter un spécialiste. Un de mes professeurs.

Lyon, pour ses parents, c'est un autre monde. Celui où le fils fait ses études. Le fils prodige.

Le médecin qui depuis des années soigne la famille n'a pourtant pas détecté de fracture ; dans le doute, il s'est contenté de lui mettre un bandage. « Mais cela ne veut pas dire que ça n'est pas sérieux », avait dit Jean-Claude à ses parents. Grave, non. Il n'aurait pas pu leur imposer l'angoisse de quelque chose de grave.

Dans la voiture, ils se parlent peu.

— Il te plaît, ton studio ? demande le père.

— Bien sûr, papa, répond le fils.

C'est une agence immobilière de Belvaux qui leur a trouvé le logement. Une affaire : un 40 m² moderne, cuisinette américaine, bien éclairé, juste en face de la faculté de médecine, au prix de 160 000 francs. Jean-Claude a vu son père payer sans broncher le tiers requis pour bloquer la vente ; il s'est demandé d'où il tirait tout cet argent. Du bois, probablement. La voiture aussi, c'est le père qui l'a achetée – une bonne occasion, qu'il tient de son frère, André Welche, concessionnaire Renault à Belvaux. Et jusqu'au carnet de chèques. L'année où Jean-Claude est entré au lycée du Parc à Lyon pour sa prépa, il lui a signé une procuration sur le compte familial. Pour qu'il n'ait jamais de souci. Il avait fallu prendre rendez-vous à la banque : Jean-Claude était encore mineur.

— En plus du gâteau au chocolat, Maman t'a préparé du clafoutis, dit encore le père. Tu sais comment elle est.

Oui, inquiète. Toujours inquiète. Et son père avec ses petits yeux d'écureuil sans cesse en mouvement, une lueur de panique au fond de la pupille. Il ne supporte pas que son père le regarde. Ne me regarde pas, papa. Un jour je te crèverai les yeux.

Ils arrivent en début d'après-midi. Jean-Claude se fait déposer devant l'infirmerie de la faculté, où il connaît un jeune interne.

— Fracture, lui annonce Jean-Claude. Le radius, juste à la base du poignet.

— Je sais où se trouve le radius, vieux ! Montre… Quel bandage ! Tu as fait ça toi-même ? Et ta radio, fais voir ?

L'interne secoue la tête, dubitatif.

— Pas évident de se prononcer, hein ? Mais si tu le dis… Je vais te couler dans le béton : trois semaines d'immobilisation complète !

Son père est impressionné par l'énorme poupée blanche que Jean-Claude lui présente en rentrant. « Dis donc, mais comment tu vas faire pour écrire, demain, à ton examen ? »

Tout est prévu, répond-il. Dans des cas pareils, l'administration de la faculté met un secrétaire d'examen à la disposition du candidat. « On est dans une petite pièce à l'écart, et on dicte ses réponses au secrétaire. »

Un assistant par élève, songe le père, il vaut mieux qu'il n'y en ait pas beaucoup qui soient blessés ce jour-là. Mais pourquoi pas, après tout. Qu'est-ce qu'il y connaît, lui ?

— Je suis sûr que tout ira bien pour toi, dit-il à son fils.

Mais le voilà qui s'inquiète de nouveau :

— Qu'est-ce qu'on mange ce soir ? Maman t'a donné quelque chose pour nous ? Les douceurs, c'est pour toi, demain.

De la soupe à réchauffer, répond-il avec patience. De la soupe et un morceau de rôti de porc froid.

Ils dorment mal. Pas seulement à cause des examens, ou du dos dont le père souffre chaque soir depuis la guerre, ou de l'éclairage qui vient de la rue. Le père et le fils dorment mal parce qu'ils sont ensemble, dans la même pièce, qu'ils se touchent presque. Le son rauque de leurs respirations respectives les trouble, cette intimité du souffle, cet air confiné qu'ils doivent partager comme des amants, le fils et le père. Dans la nuit, Jean-Claude n'ose pas se lever pour aller uriner. Mais le besoin devient terriblement pressant. L'oreille tendue, il évalue la fréquence des inspirations et des expirations produites par son père, et finit par se convaincre qu'il est profondément endormi. Il se glisse hors du lit; sur la moquette, son pied ne fait aucun bruit. Mais en sortant des toilettes, il surprend son père les yeux grands ouverts. Ils ne se disent rien. Il n'y a pas de mots pour cela.

Mais tout va se passer comme prévu.

Le lendemain matin, malgré la courte distance, ils prennent la voiture. Son père filera directement sur Belvaux. Ils se font la bise, en s'effleurant à peine. Pas plus de tendresse que d'embrassade virile : des moineaux.

Agitant en signe d'adieu son bras plâtré, Jean-Claude est resté un instant sur le parvis à suivre des yeux la voiture qui s'éloigne dans le flot de la circulation.

C'est bon, il est parti.

À côté de la salle où doit se dérouler l'épreuve, au tout début d'un couloir qui mène vers l'arrière du bâtiment, se trouve un distributeur de boissons chaudes. Il se fait couler un café sucré qu'il boit à petites gorgées en jetant à la ronde des coups d'œil qui se veulent discrets. Il n'aperçoit personne qui serait susceptible de le connaître, et personne ne fait attention à lui.

Une sonnerie retentit. C'est l'heure, songe-t-il. Quelle expression pourrait traduire l'inverse de « l'heure de vérité » ?

Reprenant son cartable, il s'engage d'un pas raide dans le couloir, jusqu'au bout. Une porte donne sur la rue. Il la pousse, et aussitôt le soleil le fait cligner des yeux. Mon Dieu, se dit-il en respirant profondément, l'automne est bien la saison que je préfère.

— Ne m'en veux pas, dit Étienne, mais je ne suis pas allé regarder les panneaux. J'en avais l'intention, et puis je me suis dit, malgré son bras cassé, Jean-Claude l'aura eu sans problème. En tout cas, bienvenue en troisième année !

Florence, qui a finalement réussi les épreuves de septembre, mais en pharma, le félicite par téléphone. Et François, et Anne. Bienvenue en troisième année ! Cela aurait été un comble, qu'il ne passe pas, lui qui donne des cours aux uns et aux autres, les fait réviser, bosse plus qu'eux tous réunis et potasse des bouquins qui ne sont pas encore au programme. Un secret pour personne.

Une nouvelle vie commence. Jamais il ne s'est senti aussi populaire. Comme c'est facile, terriblement facile, de se faire croire de ceux qui vous croient !

Il n'y a eu que sa mère, pour avoir un instant peut-être douté de la vérité. Elle le connaît, mieux que quiconque. Elle lit dans ses pensées, c'est du moins ce qu'il croit, parfois, quand les coïncidences sont trop troublantes. Mais sa mère est soulagée. Ou résignée. De retour à Belvaux, il a eu droit à des grosses crêpes fourrées aux cerises noires, servies en même temps qu'une copieuse soupe de légumes. Elle ne veut pas le perdre, son Jean-Claude. Qui sourit, de son immuable gentillesse. Le fils parfait.

4

Plusieurs mois s'écoulent, lisses. Une année, puis une autre sans que Florence et Jean-Claude se décident à habiter ensemble. Pas tout de suite, dit-elle. Il faut d'abord se fiancer.

Les fiançailles auront lieu à Belvaux, en grande pompe. Le père de Florence approuve le choix de sa fille, tout comme sa mère. Jean-Claude sera un gendre parfait. Pas seulement pour les qualités qu'on lui connaît, mais parce qu'il fait déjà partie de la famille. Suzanne, la mère de Florence, est par alliance une belle-sœur d'Aimé – la sœur de Suzanne a épousé un frère d'Aimé ; Jean-Claude est donc en cousinage avec Florence – par contrat, si ce n'est par le sang. Les familles se tissent ainsi selon une trame visible, évidente, et pourtant mystérieuse à tous. Et cette famille n'est pas pire qu'une autre, mais c'est une famille.

Jean-Claude et Florence sont maintenant fiancés, mais ils n'habitent toujours pas ensemble. Jean-Claude se dit d'ailleurs que cela fait un bout de temps qu'ils n'ont pas eu l'occasion de se voir seuls, en tête-à-tête. Elle invoque les cours de plus en plus prenants, les examens à préparer. Il sent bien que ce n'est pas la vraie raison. Qu'elle a peur de l'intimité. Il lui en parle, un soir qu'il est parvenu à l'écarter du groupe. Elle le reconnaît : elle n'est pas prête, dit-elle. Pas encore. Jean-Claude sourit et se tait. Il n'est pas du genre à argumenter. Il n'est pas du genre à se battre. Mais il s'impatiente. À ce rythme-là, prête, elle ne le sera jamais. Et en effet, une autre rentrée s'annonce – d'autres examens, également, auxquels Jean-Claude ne participe désormais pas davantage qu'aux précédents – sans que Florence se soit décidée.

Un jour, cependant, les choses changent. Au retour des vacances d'hiver, il apparaît le teint cireux, le visage gonflé, le cheveu raréfié. Des ganglions lui sont venus, affirme-t-il, dans le pli de l'aine. Quand il est en compagnie, de petits gémissements lui échappent parfois, comme cela arrive aux chiens lorsqu'ils sont très, très vieux.

— Il est toujours fatigué, se plaint de maux de tête, d'angines. D'après le spécialiste qu'il a consulté, il s'agirait d'une mononucléose, s'inquiète Florence.

Elle est attablée dans une cafétéria en compagnie d'Étienne et d'Anne, qui se tiennent la main.

— C'est vrai, fait Anne. La dernière fois, il m'a fait penser à Pompidou. Le cou enflé…

— Et qui s'occupe de lui ? dit Étienne.

Florence laisse retomber ses épaules.

— Il m'a dit que vous l'avez eu en cours, mais son nom m'échappe… Et ces ganglions, tu crois que ça pourrait être…

— Des tumeurs malignes ?

Étienne secoue la tête.

— La mononucléose est une sorte d'herpès, rien de plus. Sur l'enfant, les conséquences peuvent être assez graves, avec par exemple des atteintes méningées. Mais, à son âge, Jean-Claude ne risque rien.

Il ajoute, en souriant pour la rassurer :

— Le seul truc emmerdant, c'est que ça se transmet par la salive…

Elle ne trouve pas ça drôle.

— Et le fait qu'il soit tout gonflé, c'est la cortisone ?… Ah, ça me revient : Bertheau. Le professeur Bertheau, celui qui le suit.

— Éminent spécialiste des maladies infectieuses : ton futur mari est en de bonnes mains.

Étienne sort une pipe de son veston et, tout en la bourrant de tabac aromatique, dit d'un air malicieux :

— Alors, quand est-ce que vous allez vous marier ? Il serait peut-être temps.

Florence le regarde, perplexe. Elle ne s'attendait pas à cette question.

— Et vous ? dit-elle prudemment.

— Nous, répond Anne, on a décidé de se marier en septembre prochain. Le 6, pour être précis.

— Sérieux ?

— Je te rappelle que ça fait un an qu'on vit ensemble, dit Étienne.

Florence secoue la tête, incrédule. Un an que ces deux-là sont sous le même toit, qu'ils s'aiment, alors qu'elle et Jean-Claude se voient si peu depuis… Qu'ils se voient si peu, et si mal. Sans se toucher. Sans tendresse. Qu'elle l'évite. Florence vient soudain de s'en rendre compte. Jean-Claude et elle ne forment pas un couple. Par sa faute à elle, peut-être. Elle ne se dit pas qu'elle ne l'aime pas, ne va pas jusque-là. Ne le peut pas : ce serait revenir sur les fiançailles, décevoir ses parents, décevoir Jean-Claude. Et Jean-Claude est malade. Étienne a beau dire que ce n'est pas grave, elle ne peut pas lui faire ça. Le quitter. Et puisqu'elle décide de ne pas le quitter, il ne reste plus qu'une solution. Florence, qui est de celles dont on dit qu'elles ne sont jamais tristes, éclate de rire et, comme si de rien n'était, lance :

— Eh bien, proposez-moi une date !

— Le 13 septembre ? propose Anne. Non, le 20. Exactement deux semaines après nous.

— Le 20 septembre ? Bon, d'accord, fait Florence. D'accord !

Et puisqu'il en est ainsi, qu'elle a fait son choix et qu'il correspond à ce que l'on attend d'elle, Florence est sincèrement ravie. Elle peut continuer à se montrer telle que les autres aiment la voir : radieuse, énergique, pleine de vie.

Jean-Claude referme le tiroir de son bureau, où il range les médicaments à la cortisone qui lui permettent d'avoir l'air malade et qu'il s'est procurés grâce à l'ordonnance du médecin de ses parents. Il se redresse, se palpe l'aine. Non, rien. Tout va bien. Trop bien. Il se dit qu'à force de jouer la comédie, il finira pas tomber réellement malade. À moins qu'il ne perde la tête avant. Devenir fou : tous les jours cette hantise susurre à son esprit.

Au milieu de l'après-midi, il descend voir s'il a du courrier, pour la seconde tournée de la journée. Ses savates résonnent dans l'escalier de l'immeuble, désert à cette heure. Une odeur de frites s'accroche dans le hall.

Il y a quelque chose dans la boîte. Une enveloppe blanche portant le cachet de la fac de médecine, qu'il déchire du bout des dents et avec une pointe d'appréhension, comme à chaque fois. La lettre est à l'en-tête du doyen de l'université.

Lyon, 12 mars 1980

Monsieur,
Je vous serais obligé de bien vouloir adresser au secrétariat de l'UER-Faculté de Lyon-Nord, dans les meilleurs délais, et avant le 25 mars prochain, toutes pièces permettant de justifier votre absence aux épreuves suivantes : économie médicale, psychologie médicale, physiologique, histologie, anatomie, biophysique, biochimie.
Ces pièces sont indispensables à votre inscription aux examens de passage en troisième année. En leur absence, la commission pourrait ne pas vous autoriser à vous présenter à la session.
Veuillez agréer...

Il la replie avec soulagement. Et sourit : une de plus, et ce ne sera pas la dernière.

Il remonte en chantonnant, « comment imaginer, en voyant un vol d'hirondelles, que l'automne... »

Ses lettres administratives, il les conserve dans une grosse boîte de palets bretons qu'il range entre le mini-frigo et le grill Seb. Mars 1976, juin 1976. Mars 1977, juin 1977. Et encore 1978, 1979 – et 1980 !

Il reprend place à sa table de travail et prépare une feuille de papier, blanche comme la neige d'un rêve qu'il a fait cette nuit, où cinq croix lui sont apparues, plantées en bordure d'un lac gelé. Il écrit :

Madame le Doyen,
Veuillez excuser mon absence aux épreuves partielles, due à mon état de santé. Cette absence est justifiée par le certificat médical que je vous ai fait

parvenir le 13 février dernier, et dont je m'étonne
que vous ne l'ayez pas reçu.

 Si ce certificat ne figure effectivement pas dans
vos dossiers, veuillez m'en informer, et je vous en
ferai parvenir une copie.

J.-C. WELCHE

Bien sûr qu'elle ne l'a pas reçu, ce certificat. Il a fait exprès de ne pas l'envoyer : le temps que l'administration enregistre son courrier, constate l'absence du document en question et le lui notifie en retour, il aura encore gagné quelques semaines.

Le moment sera alors venu de rendre une petite visite au Dr Savignac.

Le vieux médecin de Belvaux est à présent proche de la retraite.

« Tu sais, Jean-Claude, lui dit-il parfois, quand il le croise chez ses parents, des garçons comme toi, je n'en connais pas beaucoup : les jeunes d'aujourd'hui sont tellement indifférents à leurs parents ! Je vois ça ici, dans notre petite ville. Toi, mon garçon, tu t'occupes de ta maman et de ton papa. Je sais aussi que tu comptes beaucoup pour eux... Mais je t'appelle "mon garçon", alors que te voilà bientôt docteur ! Je suis sûr que tu seras un grand spécialiste ! Pas un médecin de campagne comme moi – ne proteste pas ! Oh, il y avait du bon, autrefois, à être médecin de campagne, mais aujourd'hui... Voyons, en quelle année es-tu déjà ? »

— Bon, au travail, annonce Jean-Claude à voix haute. S'emparant de l'épais ouvrage qui correspond à un cours de septième année sur le cholestérol, il se cale sur sa chaise avec un soupir de satisfaction.

Il n'aime rien tant qu'étudier – et par-dessus tout ce moment où son esprit entre dans la matière du texte comme dans un bain voluptueux, infiniment rassurant ; sa solitude se fait alors d'une prodigieuse légèreté, parce qu'il n'existe plus rien au monde que l'activité finement calibrée de son cerveau.

Quant à Florence, il sait qu'il suffit d'attendre. Il lui faut parfois du temps, mais elle finit toujours par venir à lui. Et puis, s'il n'aime pas se battre, il apprécie néanmoins qu'on lui résiste un peu. Il se sent une âme de chat.

Et c'est par un après-midi comme celui-ci, peut-être même ce jour-là, peut-être le lendemain, alors qu'il est plongé dans la représentation d'une échographie où l'on voit sur la paroi de l'artère carotide des taches blanches correspondant à la présence de dépôts de cholestérol – les plaques d'athérome –, que retentit la sonnette d'en bas.

Sans même se donner la peine de parler dans l'interphone, il appuie sur le bouton d'ouverture.

Entrebâillant la porte pour pouvoir suivre la progression des pas dans l'escalier – légers et chantants, des pas de femme –, il observe l'aquarium installé sur un petit meuble dans l'entrée. Quatre poissons s'ébattent, une variété japonaise, de couleur noire, aux gros yeux globuleux. L'un d'eux vient se cogner contre la paroi de verre. Jean-Claude approche l'index pour lui caresser délicatement le sommet du crâne, et le poisson ouvre grand la gueule pour le téter.

— Bobi, murmure Jean-Claude.

Puis des lèvres, il articule silencieusement :

— Je t'aime.

5

Florence lui avait demandé :
— Tu crois que tous les mariages sont comme ça ?
— Comment, comme ça ?
— Un peu tristes…

C'était le soir de leurs noces, quand après le tumulte de la fête ils s'étaient retrouvés seuls dans leur chambre d'hôtel. Quatre ans déjà. Jean-Claude se verse un verre de lait. L'horloge de la cuisine, au-dessus de la porte, indique 4 heures du matin. La pluie s'écrase contre les fenêtres. C'est dommage, se dit-il, la neige tombée dans la journée va fondre.

Devant lui, sur la table de la cuisine, l'album des souvenirs qu'il a posé. Il y a cette photo. Elle représente la table d'honneur ; les places en principe occupées par les jeunes mariés sont vacantes : le jeune couple, dont on ne voit que le haut du buste, s'est levé afin d'ouvrir le bal. Pour Jean-Claude, il s'agit visiblement d'une épreuve pénible ; ses traits sont crispés par le trac, on le sent concentré sur chacun de ses pas et c'est à peine s'il paraît voir Florence qui, indifférente à la maladresse de son jeune époux, est radieuse comme si elle dansait au bras de Fred Astaire.

En second plan, on aperçoit, de part et d'autre des sièges vides, les parents des époux. Le champ de vision de la photo est suffisamment profond pour que l'on puisse distinguer l'expression de leur visage – telle était en tout cas l'intention du photographe.

À droite sur la photo, les parents de Florence. Charles Morel montre un visage autoritaire, mais généreux aussi, ouvert – c'est de lui que Florence tient ses yeux bruns chaleureux, ce regard souriant et honnête ; le nez, arqué ; ainsi que les lèvres, pleines et sensuelles. Morel est ce que l'on appelle un battant. Il est né en 26, à Belvaux-les-Lacs, où les Welche n'habitent pas encore à cette date. Il a trois sœurs ; elles étaient présentes au mariage, mais ne figurent pas sur la photo. Trop jeune pour être envoyé à la guerre, Morel a fait carrière dans la lunetterie. D'abord comme simple technicien en optique à Saint-Claude, où sont nés Florence et un premier garçon, Christophe. Au début des années 60, la famille s'est installée à Annecy afin de permettre au père de rejoindre une entreprise d'optique plus importante et là, de grimper dans la hiérarchie : contremaître, chef de fabrication, directeur du personnel. Les Morel vivent confortablement, mais sans ostentation, et tous les dimanches vont à la messe, le père en costume gris, la mère et les enfants en blanc.

Charles Morel tenait à ce que sa fille ait une éducation complète, et dès l'âge de six ans Florence est inscrite aux cours de ballet que donne une dame d'origine russe, la distinguée Mme Dumont, que l'on aperçoit de profil sur la photo. Florence, de la maternelle au lycée, fréquentera une école privée. Quand elle a treize ans, son père exige qu'elle arrête la danse : il est bon, explique-t-il, que le corps se développe sans contrainte et que l'esprit se concentre sur une seule activité importante à la fois. Les études, bien entendu. C'est encore lui qui insistera pour que Florence loge dans un pensionnat religieux, à Lyon, en première année, afin de la préserver de ce qu'il appelle « les mauvaises influences » : les « garçons », dont Jean-Claude ne fait, dans son esprit, manifestement pas partie puisqu'il lui confie le soin de veiller sur la jeune femme. Contre l'autoritarisme de son père, Florence ne manifestera jamais de révolte. Elle bâcle simplement le début de ses études, ce qui lui vaudra la menace du travail « en usine ». Mais, elle l'adore, son papa.

Les Morel ont eu entre-temps un troisième enfant, Patrice. Pas plus que son frère, il n'apparaît sur la photo. Jean-Claude ne se souvient pas pourquoi. Le cadrage prive également leur mère de cou, mais ce que l'on distingue de son visage suffit pour convenir qu'elle est d'apparence agréable. C'est une femme aux yeux pétillants, énergiques, sur lesquels passe toutefois l'ombre d'une résignation. Ses lèvres sont boudeuses. Florence tient également de sa mère.

Suzanne Morel est, elle aussi, originaire de Belvaux-les-Lacs. Née Florent. Un an à peine la sépare de son homme. Ils se sont rencontrés à un piquenique paroissial. Suzanne est allée jusqu'au bac, mais n'a jamais exercé de profession. Assistée dans ses tâches ménagères d'une jeune immigrée nord-africaine, elle n'a jamais aimé faire la cuisine, peut-être parce que la petite Marocaine était jolie et bonne cuisinière. Et sans doute ne se sentait-elle pas à la hauteur de son mari, lequel s'adonnait en despote à la science très exacte de la pâtisserie.

Florence n'aime pas cuisiner, elle non plus. Jean-Claude a pu le constater. Ce n'est pas elle qui lui ferait des clafoutis aux cerises, du gâteau au chocolat et de la bonne soupe de légumes.

Sa maman, Anne-Marie Welche, née Bertelot, on la trouve justement à gauche sur la photo. Des yeux bleus, très clairs, écarquillés par la concentration au moment de la prise de vue – à moins qu'ils ne trahissent un état permanent de panique. Ses cheveux gris, aux reflets violets, ont été laborieusement permanentés ; ils ont l'air rêche comme de la paille de fer. Anne-Marie avait déjà vingt-sept ans lorsqu'elle a fait la connaissance de son futur époux ; l'année d'avant, elle avait perdu sa mère.

Fille d'agriculteur, elle avait découvert les livres à l'époque de son certificat d'études, et à travers eux l'envie de voyager. Mais on avait besoin d'elle à la ferme, et très tôt elle avait renoncé à courir le monde, ce rêve auquel elle n'avait au fond jamais vraiment cru. Quand la mère mourut, en 49, Anne-Marie était âgée de vingt-six ans. C'est elle qui s'occupa des hommes de la famille – de son père, de son frère, plus jeune qu'elle de treize années, et d'un cousin, un gamin de neuf ans dont les parents avaient péri dans l'incendie qui, un soir de 14 Juillet, avait ravagé la salle des fêtes locales.

Anne-Marie était alors une petite femme énergique, régnant avec pas mal d'autorité sur la maisonnée. C'est son dynamisme et sa vivacité d'esprit qui avaient séduit Aimé, lui si maladroit avec les mots. Il éprouva à son égard une admiration accrue lorsqu'il apprit que, victime dans sa vingtième année d'un accident de bicyclette, elle avait eu à souffrir d'un grave traumatisme crânien – il avait fallu la trépaner pour enlever le sang coagulé derrière la paroi occipitale. Lorsque Aimé et elle avaient fait l'amour pour la première fois, il avait pu sentir sous la caresse de ses doigts la cicatrice qui affleurait à la surface de son crâne. Bien qu'à cette époque son âge commençât déjà à la singulariser – elle approchait de la trentaine –, il n'hésita pas à lui proposer le mariage. En fait, son âge le rassurait ; lui-même, d'ailleurs, avait déjà quarante-deux ans.

Aimé était issu d'une famille de six enfants. Né en 1918, juste avant l'Armistice, il avait entamé sa scolarité au petit séminaire, où jusqu'à l'âge de seize ans il apprit le latin de messe. Puis il se retrouva sur la ligne Maginot. Fait prisonnier dès les premiers jours du conflit, il passa la totalité de la guerre en Thuringe. À son retour il parla peu de ses années de captivité. Souffrant du dos, il prit l'habitude de dormir sur une planche. À Belvaux, de son côté du lit, le matelas était renforcé par une plaque rigide.

Revenu au pays, Aimé suivit les traces de son propre père et devint garde forestier. Il appréciait de pouvoir rester seul ; il avait appris à aimer la nature, avec cette sensibilité que les gens de la terre sont réticents à exprimer par les mots. Il n'avait de toute façon jamais été un garçon très sociable ; ses frères disaient de lui qu'il aurait fait un moine très honorable.

Dans les prés, en lisière de la forêt, se trouvaient des ruches. Aimé recevait régulièrement la visite d'un individu dont le visage et les épaules étaient dissimulés par un étrange masque grillagé. Aimé connaissait l'apiculteur, un ami de la famille, mais il restait à bonne distance des abeilles lorsque celui-ci venait prélever le miel. Un jour, l'homme lui demanda de l'aider à transporter sa récolte chez lui, à Prunel. Aimé était allé jusqu'en Allemagne, mais dans son propre pays il ne s'était jamais rendu plus loin que la Crête de la Joux. Prunel n'était qu'à vingt-cinq kilomètres, pourtant cette partie du Jura était comme un autre monde. Prunel. Il trouva joli le nom de la localité et jolie la nièce de l'apiculteur.

Lorsqu'ils se marièrent, Anne-Marie quitta son village natal pour aller vivre sur le versant de la combe où se trouvait la ferme familiale des Welche. Elle s'en voulait de laisser à son jeune frère le soin de s'occuper du père et du cousin orphelin, mais il était évident que son mari surtout avait besoin d'elle. Si Anne-Marie était encore sous le coup du décès de sa mère, Aimé venait de perdre, à quelques mois de distance, ses deux parents. Et Jean-Claude s'annonçait ; il avait fallu précipiter les formalités.

Dans ce climat de deuil, cette naissance apportait de la vie. Anne-Marie en fut réjouie comme d'un miracle, mais elle devint dès lors une femme inquiète de tout : elle avait déjà la trentaine passée, et la vie, qui lui avait donné cet enfant, n'était plus porteuse d'espoir mais d'une menace permanente contre l'être qu'elle chérissait le plus au monde – plus que sa propre existence. Elle se mit à craindre pour lui toutes les maladies, et bientôt tomba elle-même régulièrement malade. Un jour, alors qu'il devait avoir cinq ans, Jean-Claude la vit partir blanche comme morte dans une ambulance. Victime d'une grossesse extra-utérine, elle faillit mourir. L'enfant eut droit à une autre version des faits. Son père lui expliqua, avec un sourire si faible qu'il eût difficilement pu être rassurant, qu'il ne s'agissait que d'un « petit bobo au ventre, comme toi, l'année dernière » – il avait eu l'appendicite, on lui avait offert un livre d'images pour qu'il ne s'ennuie pas à l'hôpital. « Maman rentrera bientôt. » Dans la maison au temps suspendu, Aimé, désemparé, fut assisté dans les tâches domestiques par une de ses belles-sœurs. Cette présence extérieure aurait pu faire du bien à l'enfant, mais il vécut l'absence de sa mère comme un abandon et, devinant, sans vraiment le comprendre, qu'on ne lui disait pas toute la vérité, prit ces demi-silences pour une trahison.

Jean-Claude se mouvait alors à l'intérieur d'un monde étroit et chaud comme un ventre. Dans le hameau peuplé de quelques dizaines d'habitants qu'était la Chapelle-de-Joux, l'école accueillait une seule classe, fréquentée par moins d'élèves qu'il n'en aurait fallu pour former une équipe de football. De la maternelle à la fin du primaire, il eut la même institutrice, Mme Magne, qu'il adorait. À midi, il rentrait déjeuner à la maison, bien entendu ; et le soir, après la bonne soupe faite par sa maman, il retrouvait le petit lit que ses parents avaient installé, à cause de l'exiguïté de la maison, dans leur chambre, à côté du leur.

Jean-Claude vécut ainsi jusqu'à l'âge de dix ans, quand ses parents et lui déménagèrent dans la maison qu'ils avaient fait construire au 12, rue des Écoles, à Belvaux-les-Lacs. Située un peu en retrait de la petite départementale qui mène à La Chapelle, c'était une grosse bâtisse grise sur deux étages, assez laide, entourée de sapins, avec une cour à l'avant et un grand terrain pour le potager à l'arrière. La chambre de Jean-Claude se trouvait désormais à l'étage, au-dessus de l'abri où était entreposé le bois de chauffage ; celle de ses parents était au rez-de-chaussée.

Peu de temps après le déménagement, Anne-Marie fut à nouveau victime d'une grave infection consécutive à une grossesse ; elle avait presque quarante ans. Cette fois, Jean-Claude comprit qu'il n'aurait jamais de petit frère ou de petite sœur. Il ne s'imaginait d'ailleurs pas autrement qu'en fils unique. Anne-Marie accepta avec résignation de subir une hystérectomie ; elle aussi savait depuis longtemps qu'elle n'aurait pas d'autre enfant que son ange, son petit Jésus, son petit dieu.

Aimé avait de l'affection pour son fils, mais les inquiétudes qu'Anne-Marie manifestait continuellement à l'égard de l'enfant avaient fini par le gagner lui-même. À mesure que Jean-Claude grandissait, Aimé s'était mis à dormir de plus en plus mal. La nuit, il se tournait et se retournait sur sa planche, incapable de comprendre ce qui le tourmentait. Ce n'était pas la présence de l'enfant à côté du lit conjugal qui le dérangeait – cela faisait pas mal de temps que ce lit n'était plus que très rarement le théâtre d'ébats amoureux – mais quelque chose de plus insaisissable. Entre la mère et l'enfant, il sentait un tel lien qu'il ne savait plus très bien quelle était sa propre place. Il avait parfois envie de disparaître, tout simplement – mais cela était impossible !

Ce désarroi qu'il n'arrivait pas à nommer ramena Aimé à la forêt, redevenue comme après la guerre son refuge.

Depuis, la forêt le lui a plutôt bien rendu. Ayant acquis d'année en année de nouvelles responsabilités, il a fini par se retrouver à la tête de deux secteurs de bois, un groupement de neuf cents hectares appartenant à des particuliers, et un autre de trois cents hectares, placé sous le contrôle d'une société industrielle. Le métier rapporte, et Aimé est un homme estimé. On apprécie son honnêteté, son professionnalisme, ses silences et, quand il parle, la profondeur de sa voix.

Pourtant, il manque quelque chose à son existence, et c'est ce qui apparaît à présent si clairement à Jean-Claude sur la photo : son père a les yeux d'un homme qui s'est retiré de la vie. Effacé devant son fils. La transparence abyssale de ses yeux exprime de l'amour, certainement, mais privé de cette possibilité de haine qui donne à l'amour toute sa vérité.

Refermant l'album, Jean-Claude termine son verre de lait. De temps en temps, il aime se raconter des histoires. Celle de sa vie. Mais, se dit-il, est-elle encore vraiment la sienne ? Et cette question le trouble profondément. Il remonte se coucher sans avoir pu y répondre. Cette nuit encore, il ne trouvera pas le sommeil.

6

Florence est enfin venue s'installer dans le studio de la rue Calmette.

À deux, ils y sont un peu à l'étroit. Jean-Claude ne s'en plaint pas : auprès de son adorée, plonger sans retenue dans l'océan de ses cours de cardiologie est l'aboutissement de son bonheur... Il aimerait que ses études ne finissent jamais. À aucun moment, Florence ne détecte d'incohérence dans son emploi du temps. Ou elle se dit qu'il y a simplement quelque chose qu'elle n'a pas compris, et que cela n'a pas d'importance. À sa manière, elle continue de l'éviter, même lorsqu'ils font l'amour. Elle vit moins avec lui qu'à côté de lui. Et elle y trouve son compte. « C'est tellement long, médecine, je me demande comment tu fais pour savoir encore en quelle année tu es », dit-elle à Jean-Claude en se moquant gentiment. Cette gentillesse, cette grâce, même, le préviennent de ressentir de l'humiliation ; et son indifférence l'arrange aussi. Il a trouvé en Florence l'adjuvant idéal de son mensonge.

Le couple vit des remplacements occasionnels qu'elle effectue dans des pharmacies de la région et de l'argent que Jean-Claude continue à prélever sur le compte de ses parents – avec leur accord, au moins tacite.

Un jour cependant, il reçoit une lettre. Comme les précédentes, celle-ci émane de l'université, mais elle est signée de la nouvelle directrice qui, en prenant ses fonctions à la tête de l'administration, est tombée en arrêt devant le cas de cet étudiant inscrit depuis une éternité en seconde année et qui ne se présente jamais aux examens ! Jean-Claude Welche est sommé de venir s'expliquer.

En parcourant la missive, il comprend que désormais les choses vont devoir changer. Il est évidemment hors de question qu'il se présente à cette convocation ; en conséquence, il lui faudra renoncer à continuer à s'inscrire aux examens que, pendant toutes ces années, il a préparés avec soin, allant jusqu'à passer à la maison les examens blancs pour s'assurer qu'il avait toujours le niveau. Plus d'une fois, l'idée de se présenter lui a d'ailleurs traversé l'esprit, comme un jeu. Mais cela n'aurait pas été prudent, et des jeux, il n'apprécie que ceux dont il est certain de l'issue gagnante. Il songe au courage qu'il aurait fallu pour passer ces examens, et cette pensée le remplit d'une honte qui l'accable. Puis il se ravise. Il n'a rien à regretter. La vie qu'il s'est construite est désormais trop importante pour ceux qui l'aiment ; ils ne pourraient en concevoir une autre. Ce qui l'ennuie en revanche, c'est qu'il va falloir agir, à présent. Sans perdre de temps. Un frisson le secoue, dans lequel il reconnaît le sentiment familier de la peur, et aussi de la jouissance.

Il décide de laisser passer quelques jours. En y réfléchissant bien, il n'a rien à craindre de l'administration. Il lui suffit de faire le mort. De disparaître de leurs tablettes. Pas même leur répondre. Surtout pas.

Mais pour ce qui est de la famille, des amis, il a son idée. Ce n'est pas le moment de jouer petit.

— Je vais leur annoncer que j'ai été reçu au concours des Internats de Paris, dit-il à haute voix.

Il parle aux murs, à l'aquarium, à sa table de travail. Pour se rassurer.

— Reçu… cinquième ! Oui, bon chiffre ça, cinquième.

Il continue :

— Maman, Papa, j'ai une bonne nouvelle à vous annoncer : je suis reçu cinquième aux Internats de Paris !

Pas mal. Il est impressionné.

— Sur quatre cent cinquante-deux candidats.

Eh oui, pourquoi pas ?

À Florence, maintenant :

— Ma Flo, j'ai une bonne nouvelle…

Il sourit. Il peut être satisfait de lui.

— Jean-Claude, s'exclame son beau-père, tu appartiens désormais à l'élite des meilleurs étudiants en médecine de France !

— Oui, Papy. Et ce résultat me vaut d'être embauché à l'Inserm.

Pour la circonstance, la famille s'est réunie au complet à Belvaux. On a mis les petits plats dans les grands, il fait beau, et Jean-Claude est aux anges.

— L'Inserm, dit-il à l'attention de sa mère, c'est l'Institut national de la santé et de la recherche médicale. D'ailleurs, il me faudra passer un peu de temps à Paris.

— Mais tu reviendras ?

Il rit délicatement, avec tact.

— Mais bien entendu, maman! Le professeur Picardolet – c'est le directeur de l'Institut, mon patron –, dès qu'il a su que j'étais du Jura, il m'a proposé d'être en poste détaché à l'OMS, à Genève. Tu te rends compte : l'Organisation mondiale pour la santé!

Oui, elle s'en rend compte. « Mais je n'arrive pas à m'y faire », dit-elle. Est-ce vraiment ce qu'elle pense? Ne songe-t-elle pas plutôt qu'elle a du mal à y croire, à son histoire? Mais on ne doute pas de son fils. Pas d'un fils comme Jean-Claude. Et si le doute a pointé, malgré tout, ne serait-ce qu'un instant, Anne-Marie l'a aussitôt enfoui au plus profond d'elle-même.

— Le professeur Picardolet est lui aussi originaire du Jura, poursuit Jean-Claude, et peut-être qu'un jour je pourrai lui demander de passer à la maison goûter un de tes clafoutis? Tu serais ravie de faire sa connaissance. C'est un homme très simple.

Tout n'est pas faux dans ce qu'il raconte. Le professeur Picardolet existe bien. Et l'OMS emploie bien à Genève un chercheur du nom de Welche. Walter Welche. Il l'a constaté en examinant le registre de la profession. Ce genre de choses, il vaut mieux ne pas les laisser au hasard.

Il voit sa mère hocher la tête en signe d'approbation. Que pourrait-elle faire d'autre? Elle fait ce qu'elle peut. Elle ne peut pas grand-chose.

Elle se lève et dépose un baiser mouillé sur sa joue, à la commissure des lèvres. Il répond avec son sourire d'enfant affectueux, mais l'effort qu'il fait pour ne pas la rejeter est considérable et pendant quelques secondes son sourire s'est figé en grimace : dans un éclair, il s'est vu porter un violent coup de couteau au ventre de sa mère. Cette image fulgurante et terrible, il ne la comprend pas ; il éprouve simplement l'immense soulagement d'en avoir été traversé. Un soulagement mêlé de perplexité. Était-ce le contact physique avec sa mère, qui l'a soudain écœuré, ou la conviction de sa soumission ? Il se demande si son sourire, ses yeux l'ont trahi. Apparemment pas : sa mère ne s'est aperçue de rien. Son masque se radoucit. La haine s'éloigne, se retire, laisse place au sentiment océanique de l'amour, ou de la pitié.

Et son père : peut-être s'est-il rendu compte de quelque chose ? Jean-Claude le fouille du regard, mais celui-ci détourne ses yeux, des yeux qui suppurent comme des figues trop mûres au soleil. Et le soleil de leur vie, c'est moi, se dit Jean-Claude.

— Et la meilleure, ajoute-t-il, je vais m'occuper de cardiologie !

Des applaudissements épars se font entendre. Ceux qui émanent des frères de Florence ne sont pas dénués d'ironie : avec ses airs de premier de la classe, Jean-Claude les a toujours agacés. Mais cela n'a aucune importance. Il a gagné.

Pourtant, il n'est pas aussi satisfait qu'il le souhaiterait. Ce n'est pas ce qu'il avait prévu, se dit-il. Son triomphe se teinte de honte, celle que lui inspire l'écrasante supériorité de son intelligence. Il a honte de l'humiliation qu'il leur inflige, à tous. Il voulait provoquer l'admiration, il sent qu'il suscite l'envie, de la jalousie, peut-être déjà des rancœurs. Il a peur, soudain, de ne pas maîtriser son image. Et cette incertitude le chagrine. Mais que me veulent-ils donc ? s'indigne Jean-Claude en silence, alors que s'ouvre devant lui l'abîme du désespoir de ne pas être, finalement, aimé pour ce qu'il est.

— Je ne comprends rien à ce que tu me racontes, dit Étienne. C'est quoi au juste, son boulot?

Elle rit.

— Chef à l'Inserm, ou à l'OMS… Est-ce que je sais? Et quelle différence? Une seconde, je te passe Jean-Claude.

Florence tend le combiné à son mari et s'échappe, insouciante et joyeuse, de la conversation.

— Bravo, mon vieux, fait Étienne.

— Il n'y a vraiment pas de quoi, dit-il doucement. Un coup de chance.

— De la chance? Tu as toujours été une tête, le plus bosseur de nous tous… Mais dis-moi, quand tu as soutenu ta thèse, tu aurais pu nous inviter!

— Ma thèse? Il n'y a pas eu de soutenance. Tu sais bien que je n'ai pas besoin du doctorat pour faire de la recherche…

Étienne a un rire :

— Et nous qui pensions que tu nous avais snobés! Bon et ce job, c'est quoi?

— Maître de conférences à l'OMS, répond Jean-Claude. C'est-à-dire chercheur. Pour commencer, je vais conduire un boulot sur l'athérosclérose. En particulier sur le cholestérol…

— Tiens, mon domaine préféré! À part ça, rencarde-toi un peu, vois s'il n'y a pas un cabinet qui se libérerait du côté de Ferney-Voltaire. On en a marre d'Annecy, Anne et moi.

— Ce serait sympa, approuve Jean-Claude avec chaleur. Florence sera ravie.

Ils ont emménagé récemment dans cette zone frontalière qui constitue la grande agglomération de

Genève. Les locaux de l'OMS sont à une vingtaine de minutes en voiture de l'appartement.

— D'autant plus sympa, ajoute-t-il, que François et sa femme ont pris une pharmacie dans le coin.

C'est Jean-Claude qui, ayant vu l'annonce dans les pages immobilières de la presse locale – qu'il a désormais tout le loisir d'examiner en détail –, avait annoncé à Florence : « Un copain à l'OMS m'a parlé d'une pharmacie qui serait à reprendre du côté de Gex. Tu ne connais personne que ça intéresserait ? » Eux-mêmes n'en avaient pas les moyens, mais il savait que Florence trouverait quelqu'un. Elle s'ennuyait dans la région, sans amis, loin de sa famille. Et il ne voulait pas que Florence s'ennuie : l'oisiveté favorise la curiosité, cela pouvait devenir dangereux. Et puis, il y avait une autre raison. Entouré de ceux qui le connaissent depuis la fac, il se sentirait protégé. Les amis de longues date sont plus sûrs que de nouvelles connaissances.

— François et sa femme ? Ainsi ce vieux renard a réussi à se marier ! ricane Étienne. Bah, tant mieux pour lui, hein… Écoute, trouve-moi un plan pour un bon petit cabinet – par l'intermédiaire de l'OMS, peut-être ? Je te revaudrai ça : le prochain billard qu'on fera, je te laisse gagner.

En raccrochant, Jean-Claude songe à ces lettres que systématiquement il adressait à l'université pour s'excuser de ses absences, à la mécanique parfaitement huilée qu'il avait mise au point alors, et dont il peut à nouveau, aujourd'hui, entendre tourner les rouages. Avec l'accord de ses parents, il a pris l'initiative de revendre le studio de Lyon. Le prix du mètre carré ayant presque doublé en dix ans, la transaction lui rapporte trois cent mille francs. C'est une bonne affaire, d'autant qu'ils ont insisté pour qu'il garde l'argent. Afin d'aider le couple à s'installer, ils ont même procédé à la donation de tous leurs biens immobiliers – la maison, les parts forestières et les bois qu'ils possèdent du côté de la Chapelle-en-Joux. Il leur restera toujours leurs rentes – modestes, celle de la mère atteint à peine deux mille francs, celle du père n'est guère plus élevée, mais Jean-Claude ne se fait pas trop de souci de ce côté-là, ses parents n'ont pas besoin de grand-chose pour vivre. Quant au jeune ménage, il a donc de quoi tenir, en n'étant pas trop dépensier, les trois ou quatre années à venir. Au mieux. L'apport de Florence, laquelle laisse Jean-Claude gérer les finances communes, est marginal. Il sait bien qu'à long terme la cagnotte parentale ne suffira pas. Pour voir loin, il faut les moyens, et qui est maître de l'argent est maître du temps, se dit-il. C'est une autre raison qui justifie d'avoir autour de soi des amis. Des amis sur qui l'on peut compter.

7

Mais on ne peut pas tout prévoir.

À Ferney-Voltaire, ils occupent un deux-pièces à peine plus spacieux que le studio de Lyon. L'appartement se trouve au cinquième et dernier étage d'un immeuble donnant sur un coin de forêt. Les soirs d'été, à l'approche de l'orage, Florence se met au balcon pendant que les gros nuages noirs s'accumulent du côté de la Faucille. Quand les arbres agitent leurs cimes au vent, que l'on peut presque toucher leurs branches, elle a le sentiment que la forêt s'avance vers elle.

Le temps passe, Jean-Claude est souvent en mission, à l'étranger – au Japon, dit-il, en Amérique du Sud. Et Florence, qui n'effectue toujours que des remplacements, dans un métier qui ne la passionne pas, s'ennuie. Ses amis vivent désormais à proximité, mais ils ne suffisent plus à la distraire. Elle est lasse. Qu'attend-elle de la vie? Plus rien, lui semble-t-il bien.

Mais une nuit d'hiver, alors qu'elle contemple la lune, ronde et pleine comme une perle, sa présence rassurante au-dessus des arbres noirs auxquels s'accrochent les gros paquets de neige tombés dans la journée, elle ressent soudain à l'intérieur d'elle-même une pression qui lui noue l'estomac. Elle écrase aussitôt la cigarette qu'elle avait allumé en attendant Jean-Claude.

La nausée s'éloigne puis revient, c'est une barque qui tangue sur les vagues grossies de la mer, que l'on voit et que l'on ne voit plus. La pression revient, qu'elle sent jusque dans le coin des yeux mainte-nant, sa respiration se fait difficile et une immense fatigue la submerge.

Elle ouvre grand la fenêtre. L'air métallique de la nuit lui fait du bien. En contrebas, une voiture remonte la route qui longe la cité, et ses phares jet-tent sur les arbres des paillettes de lumière jaune. Elle n'est pas certaine de reconnaître la voiture de Jean-Claude. Elle songe avec tristesse que la lumière jaune qui s'avance par intermittence à travers le bos-quet est peut-être celle d'une bougie, tenue par un petit homme égaré dans la neige et qu'elle ne pourra pas sauver.

Elle a un retard de quinze jours. Elle n'en a pas encore parlé à Jean-Claude. Maintenant, il va falloir le faire. Un moment de vérité est arrivé. Pas le moment définitif, mais un temps, une pause, essen-tielle. Et la vérité, se dit-elle, c'est qu'à présent plus rien n'aura d'importance que cet enfant à naître. Il est trop tard pour les regrets. Jean-Claude n'était peut-être pas l'homme de sa vie, il l'est devenu.

Elle songe qu'il y a tant de choses qu'elle ne com-prend pas chez lui. Parfois, elle a l'impression de ne pas le connaître. C'est ce qu'elle se dit, maintenant, alors que les phares jaunes progressent dans la nuit, entre les arbres. Peut-être a-t-elle manqué de courage, autrefois, quand d'autres garçons s'étaient présentés à elle. Mais des forces mystérieuses agissent sur les êtres, qui annihilent tout effort de volonté ; plus que de lâcheté, c'est de paresse qu'il s'agit, une sorte d'abandon. Et si c'était ça, l'amour ? C'est en tout cas ce qu'elle veut croire. Comment pourrait-elle être faible, alors qu'elle porte un enfant en elle ? Elle se rend compte de la complexité de sa pensée : maintenant qu'elle est enceinte, elle ne peut plus se permettre d'être faible ; et pourtant, malgré la vie qui pousse, nos faiblesses ne nous quittent jamais tout à fait. Mère, elle sera une autre femme. Elle l'est déjà, d'ailleurs. Et pourtant…

Elle entend la porte de l'ascenseur, des pas qui se rapprochent. C'est Jean-Claude qui rentre. De sa longue, exaltante journée de recherche au service de l'humanité.

8

Il y a ces journées à remplir, interchangeables comme les parkings de centres commerciaux sur lesquels il s'installe maintenant dès le matin.

Au début il ne sait pas s'y prendre, l'organisation lui fait défaut. Il contemple l'humanité à chariots, s'amuse à comparer le citoyen Intermarché de l'individu Carrefour, mais l'assurance si tranquille qu'ils mettent dans chacun de leurs gestes quotidiens le déprime. Eux, quand ils se garent, ils se garent vraiment ; tous ces sacs de victuailles et de produits d'entretien qu'ils chargent à bord de leur voiture ne sont pas les objets d'un décor de théâtre. Jusqu'à la médiocrité de leur existence, elle aussi bien à eux.

L'ennui l'aigrit.

Il mange. Il goûte aux pains scandinaves d'Ikea-Lyon-Sud, aux merguez-frites de Conforama-Dijon-Est. À Besançon-Nord, il déguste le vin nouveau et les noix servis gracieusement chez Leroy-Merlin. Il constate que les meilleures cafétérias sont celles de Casino.

Il grossit, il s'attriste. Pour changer, il teste les relais d'autoroute. Il porte sur lui une réserve de jetons à café. Il aime les Courte-Paille. Mais il s'en lasse.

Il retourne sur les centres commerciaux. Afin de ne pas attirer l'attention, il fait lui aussi les courses, pour toute la famille. Il couvre cent cinquante kilomètres rien que pour apporter à sa mère ses bouteilles de Contrex et son baril d'Ariel.

Il prend son temps. Minutieusement, patiemment, chaque pas dans l'interminable allée des boissons gazeuses représente autant de secondes qu'il n'aura pas à passer sur le parking, assis dans la voiture. Il devient une ménagère modèle, incollable sur les promos et les fausses nouveautés ; il est le champion anonyme des hypers. Il écume les soldes chez Auchan, part en expédition chez Foir'fouille, découvre de nouveaux Castorama, inaugure un Garden Center.

Il veille à rester toujours bien mis.

Voilà sa vie, son quotidien. Pendant des mois, qui deviendront des années. Il y a pris goût. Mais il n'est pas dupe. Il sait qu'à mener une existence aussi peu conforme à celle d'un fonctionnaire international, d'un chercheur hautement spécialisé, un jour ou l'autre il finira par être confondu. Navigateur solitaire de ce temps démesurément libre, de ces journées qui finissent dans l'océan des saisons, il décide de compulser tout ce qu'il peut trouver de revues médicales, *La Recherche*, *Médecines/Sciences*, *Le Quotidien du médecin*, de se remettre à l'anglais pour déchiffrer *The New England Journal of Medecine* et *Lancet*, de se procurer – et de les apprendre par cœur, rien de plus facile ! – les derniers ouvrages parus en matière de cardiologie. Il se façonne ainsi une expertise en hypercholestérolémie, un curriculum béton en athérosclérose, devient le meilleur en thrombo-embolie, sans faille sur les syndromes d'hypercorticisme et la maladie de Cushing, et capable de tenir une conversation sur la lithiase du cholédoque et l'angiocholite.

Il n'a pas abandonné le shopping pour autant.

Certains jours, il se contente de feuilleter *L'Ency-clopédie médicale à l'usage de tous*, en édition de poche.

Le tout début de la matinée est consacré aux jour-naux nationaux et régionaux. Il lit *L'Équipe* et *Le Nouvel Observateur*. À midi, il va à la cafétéria.

Après le plateau-repas, et avant d'attaquer la lit-térature spécialisée, il se détend avec les moralistes, saint Augustin, Pascal, Pierre Bellemare. Ce dernier, il le retrouve aussi sur Europe 1, avec ses histoires d'escroqueries, de meurtres, de disparitions.

Il se fait anachorète en R5.

Il s'est acheté un dictaphone afin d'enregistrer ses pensées, mais que dire, que raconter lorsqu'on ne vit rien ? Il essaie d'écrire ses propres histoires, un roman peut-être : pareil. Il n'a effectivement aucune imagination pour ce genre de chose. Dans un carnet qu'il considère comme son journal de bord, il note tout de même le lieu où il se trouve, le kilométrage parcouru et le numéro de la sortie autoroutière figu-rant la longitude et la latitude de son odyssée dans l'espace infini, le silence éternel de son quotidien.

Il note aussi des phrases, comme celle-ci : « *On meurt toujours avec la certitude d'être aimé.* » S'il transpire abondamment, au front et sous les aisselles, ce n'est pas d'optimisme. Livré à lui-même, son pre-mier combat est de ne pas sombrer.

9

Florence a eu son bébé en mai. C'est une fille, qu'elle a souhaité appeler Camille. Son poids à la naissance, 3,6 kilos, circule parmi les invités venus se rassembler autour de la mère et de l'enfant, tout juste sorties de la maternité. Il y a là Étienne et Anne, François et sa femme, ainsi que des voisins de palier. Florence est encore un peu pâle dans son survêtement blanc, mais tellement radieuse.

— Trois kilos six, répète-t-elle.

Pendant qu'elle lui donne le sein, son bébé la regarde de ses yeux écarquillés.

— En pleine forme, constate François.

— Elle va mieux, déclare Étienne. Je n'étais pas tranquille : j'ai eu peur qu'elle nous fasse une dépression.

François hausse les épaules.

— Toujours à jouer le grand frère !

— La dépression, ça peut venir plus tard, intervient Anne.

— Plus maintenant, affirme Étienne. Attends, Jean-Claude, je vais t'aider.

Les bouteilles de champagne qui lui encombrent les bras proviennent d'un carton offert pour

89

la circonstance par l'OMS, explique Jean-Claude en entrant dans la pièce.

— Picardolet m'a promis de passer. Enfin, s'il en a le temps.

Il est sur ses gardes, aujourd'hui. Tout ce monde dans leur petit appartement, pour certains des gens qu'il ne connaît pas encore très bien. Une pellicule de transpiration luit sur son front et le sommet dégarni de son crâne, malgré les coups de serpillière de son mouchoir.

— Savez-vous que l'hypersudation est le symptôme d'une grande créativité intellectuelle, docteur Welche ? À moins qu'elle ne trahisse de l'angoisse.

Jean-Claude se retourne en sursaut et se trouve face à des petits yeux inquisiteurs. C'est leur voisin de palier, Gérard Deschamps. Il porte une fine moustache d'où émerge une cigarette fichée dans un embout en ivoire, ce qui lui donne un air de gigolo. Une caricature. Il est en compagnie de son épouse, Christine.

Celle-ci a également posé son regard sur Jean-Claude, qui se sent rougir. Elle lui sourit :

— Ne vous inquiétez pas, il ne va pas l'allumer.

— Comment ?

— La cigarette. Mon mari se promène toujours avec une cigarette aux lèvres depuis qu'il a arrêté de fumer.

— Tant mieux ! lance Étienne.

— Je tète, dit le mari.

— Un vrai bébé, ajoute-t-elle.

Jean-Claude bafouille :

— Je n'étais pas inquiet.

Tous éclatent de rire de sa confusion. Il rit aussi.

— Permettez-moi de vous signaler, monsieur Deschamps, que Jean-Claude est le moins angoissé des hommes, dit Étienne. En revanche, pour ce qui est de l'activité intellectuelle, vous avez raison : c'est une tête. Pas vrai, mon vieux ? Mais il ne vous le dira jamais lui-même, il est bien trop modeste pour ça.

S'emparant d'une coupe de champagne, il ajoute, sur un ton de fausse confidence :

— Méfie-toi de ce monsieur : il paraît que c'est un sacré joueur de poker. La terreur du casino de Divonne-les-Bains ! N'est-ce pas ?

— Pour vous servir, répond Deschamps en effectuant une courbette ironique. Et bienvenue au club !

— Moi, vous savez, je ne suis pas joueur, répond Jean-Claude, en lui retournant involontairement son salut. Sauf bien entendu si je suis sûr de gagner !

Il émet un petit rire, pour dissiper la gêne qu'il ressent à l'égard de son interlocuteur. Tout à l'heure, c'est à une véritable vague de panique qu'il a dû faire face. Il lui faudra redoubler de vigilance en présence de ce type, songe-t-il. Il est dentiste. Comme sa femme. Ils sont arrivés depuis peu à Ferney-Voltaire, où ils ont ouvert un cabinet en commun. Florence, qui les trouve sympathiques, envisage d'aller se faire soigner chez eux, dès qu'elle sera complètement remise de l'accouchement. Jean-Claude fréquente pour sa part un dentiste de Besançon, puisqu'il donne régulièrement des conférences à l'université de cette ville, comme il l'a expliqué à Florence.

Il sert une nouvelle tournée de champagne, en se félicitant mentalement de n'avoir pas soutiré d'argent à ses amis, en fin de compte. Les amis, il vaut mieux ne rien leur devoir. Le contraire est préférable : leur paraître indispensable. De toute façon, il a d'autres plans en tête.

On lui demande ce que représente pour lui le fait d'être père. Cette question aussi l'embarrasse. Il ne peut tout de même pas leur répondre que désormais son destin est scellé, qu'il n'y a plus d'autre solution que de continuer cette vie de faux-semblants, jusqu'au bout. Il ne sait pas ce que ce terme, « jusqu'au bout », recouvre au juste. Il ne l'envisage pas. Il sait seulement qu'il n'aura plus le courage de tout arrêter. Ce courage, il ne l'a d'ailleurs pas eu jusqu'à présent. Il se sent lâche, maintenant, sa main ne tremble pas alors qu'il porte à ses lèvres une coupe – pour lui remplie de Coca-Cola, puisque pas plus qu'autrefois il ne boit d'alcool, même lors de circonstances exceptionnelles –, mais il se sent lâche. Sale. Et puis le malaise passe, comme à chaque fois, aussi rapidement qu'il s'est manifesté. Il n'a pas à se sentir coupable, puisqu'il n'a rien fait de mal ; il n'a pas à avoir honte, puisqu'il fait le bien autour de lui. Personne ne se dévoue aux autres autant que lui. Ils ne le savent même pas, à quel point il se dévoue. Ne savent pas qu'il a renoncé à sa propre existence pour rendre heureux ses parents, sa femme, sa fille maintenant.

À Florence, il a déjà dit qu'il se sentait comme un soleil pour Camille, « une fois de plus un soleil », a-t-il ajouté. Elle l'a regardé un peu bizarrement : « Ne ramène donc pas toujours tout à toi », et il a perçu dans cette remarque l'ombre d'un reproche. Quelle ingratitude… Mais il lui a pardonné, parce qu'elle non plus ne sait pas. Ne peut pas, ne doit pas savoir. Jamais.

— Camille est le soleil de ma vie, dit-il.

— Tiens, voici ma carte.
L'oncle André lit à haute voix :

— « Professeur Jean-Claude Welche. Internats de Paris... » Pas de doute, ça fait chic. Je peux la garder ?

— Pas celle-ci, elle est... Je t'en donnerai une autre, tout à l'heure, une propre.

Ils sont dans la cuisine, chez son oncle. C'est la grosse maison grise que l'on voit de chez les parents de Jean-Claude, à même pas cinquante mètres. L'oncle André est concessionnaire Renault, le seul garage important de la vallée. C'est de chez lui que vient la R5 jaune poussin que Jean-Claude avait en fac, dans laquelle il roule d'ailleurs toujours, sans que personne ne s'étonne de ce manque de standing – la recherche, ne se lasse-t-il pas d'expliquer, est une activité intellectuellement satisfaisante mais pas très lucrative ; et puis, c'est sentimental, une voiture, on n'en change pas sous prétexte d'être « une personnalité »...

Ils ont terminé de déjeuner. La tradition familiale veut que les hommes aident aux tâches domestiques, pendant que les femmes passent au salon ; fatigué, Aimé est dispensé de corvée. Il dort dans le fauteuil, devant la fenêtre. Sur la pelouse un nain de jardin pousse sa brouette.

C'est un dimanche comme les autres. Alors, parce qu'il faut bien gagner sa vie et que l'argent ne pousse pas sur les arbres, comme le dit volontiers l'oncle André – qui en a toujours un peu voulu à son frère de sa réussite –, Jean-Claude rappelle, mine de rien, ce que dans une région frontalière comme le Jura on sait d'évidence : en Suisse, il est possible, si l'on s'y prend bien, de réaliser des placements vraiment intéressants.

— Pour sûr, la Suisse..., fait l'oncle, penché par-dessus l'évier. Seulement, faut connaître.

93

— Il faut connaître, c'est vrai, concède Jean-Claude. La casserole?

— Donne, on va la rincer encore une fois. Toujours rincer deux fois… Mais toi, tu dois bien t'y connaître un peu, non? Avoir des contacts? Quand on fait un métier comme le tien, on fréquente des gens.

Il a, en effet, reconnaît-il, ouvert un compte à Genève. Et grâce à l'OMS, il bénéficie d'un taux de placement annuel de 18 %.

— 18 %!

Une hypothèse: quelqu'un souhaite placer de l'argent. Lui, Jean-Claude, le dépose sur son propre compte. En toute sécurité: personne dans cette banque ne posera de questions embarrassantes.

— La Suisse…, résume l'oncle André.

Exactement. Et bien entendu, cet argent est restitué à la personne, l'hypothétique personne, qui le lui aurait confié à la première requête. Plus les 18 % d'intérêt.

Pendant un moment, l'oncle ne dit rien. Il termine de charger le lave-vaisselle. Puis, jetant son torchon sur l'épaule, il se tourne vers son neveu et dit gravement:

— Bien, admettons que j'aie quelques économies – tu sais ce que c'est, il faut être prévoyant…

— On ne l'est jamais trop.

— Comment ça se passerait pour moi?

— Comme je te l'ai dit, oncle André. Tu me confies l'argent – bien entendu, je te signe l'équivalent d'une reconnaissance de dette –, je place cet argent sur mon propre compte et, comme je te l'ai dit, je te le restitue le jour où tu en as besoin.

— À 18 %!

— Voire davantage, si les taux montent.

— Et s'ils baissent.

— Pas en Suisse, oncle André! Et s'ils venaient à baisser, se serait d'un point ou deux, pendant une courte période. Crois-moi, cela reste plus rentable que le livret rouge de l'Écureuil, et au moins aussi sûr.

L'oncle hoche la tête. Cette dernière précision l'a fait sourire. Posant sa lourde main de mécano sur l'épaule de son neveu, il lâche :

— Mon garçon, je crois que nous allons nous entendre, tous les deux. Trente mille, pour commencer, ça ira? Mais surtout… Surtout n'en parle à personne.

10

Longtemps il ne se passe rien, que l'ordinaire de la vie. Le quotidien d'un mythomane, souvent, n'a rien que de très ordinaire ; Jean-Claude cherchait précisément à ne pas se faire remarquer.

Hier, Florence a eu trente ans. Pour son anniversaire, il lui a offert le journal du jour de sa naissance, un fac-similé de *France-Soir* en date du 9 mars 1956 sur lequel on peut lire en grosses lettres : « *ET DIEU CRÉA LA FEMME.* »

Florence est à nouveau enceinte.

— Brigitte Bardot, dit-il, dans le film de Vadim.

— J'avais compris.

Il lui a également acheté un peignoir griffé et des babouches en soie. Florence lève les yeux au ciel : à quand les porte-jarretelles ?

— Et ce soir, je t'invite à dîner.

Pour la garde de Camille, il a tout prévu :

— Les Deschamps sont d'accord pour s'en occuper. Gérard Deschamps est effectivement devenu le dentiste de Florence ; sa femme Christine, une amie. Florence noue aisément des liens d'amitié.

Pour l'occasion, c'est-à-dire pour l'anniversaire de Florence, Jean-Claude s'est offert, à lui-même, un nouvel appareil photo hautement perfectionné, ainsi qu'un magnétoscope. Sa générosité envers lui-même n'a pas de limite. Du rayon hi-fi à celui de la bande-dessinée, il connaît la FNAC de Lyon par cœur. Étienne, depuis qu'il lui a montré son échiquier électronique, le surnomme « Gadgo, le roi du gadget ». S'il le veut, il a tous les jouets qu'il désire. Et le temps ne lui manque pas pour en profiter. Mais l'argent reste un problème.

Le Cheval Blanc est une auberge de style rustique, avec feu de cheminée et chandelier sur les tables. Pas donné comme endroit, fréquenté par les Suisses, servant des cuisses de grenouille au riesling et des desserts pour lesquels le chef a obtenu des récompenses.

En vérité, ni Florence ni lui n'attachent beaucoup d'importance à ce qu'ils ont dans leur assiette. S'ils ont accepté de prendre du vin, c'est pour éviter d'avoir à affronter le regard réprobateur du sommelier. Ils ont pris un moelleux.

— C'est meilleur que ton Coca, non ? dit Florence en riant dans sa serviette.

Deux verres, elle est pompette.

Ce soir, Jean-Claude à une idée derrière la tête. Un plan, qu'il a décidé de communiquer à Florence. Pas tout le plan, seulement les grandes lignes. Comme une sorte de jeu, a-t-il fini par se dire après y avoir longuement réfléchi. Y avoir passé quelques insomnies. Parce que l'argent, l'argent continue à le tracasser.

Un jeu... Rien qui porte préjudice à quiconque. Rien de criminel ! Mon Dieu, non, surtout pas – il ne le supporterait pas.

Jean-Claude attend la fin du repas. Il lui prend la main.

— Le cancer de ton oncle Georges, dit-il. Je crois que nous avons trouvé le traitement qui lui conviendrait.

Cet oncle, que Florence aime beaucoup, se meurt des poumons.

— Un traitement encore expérimental, précise-t-il, mais qui donne des résultats très encourageants. J'en ai parlé à Picardolet, il serait d'accord pour que nous en fassions l'essai en extérieur.

Il n'y a qu'un détail, autant l'aborder sans tarder : ces médicaments sont coûteux. Il ne peut pas les fournir gratuitement.

— Pour d'évidentes raisons de procédure, tu comprends ?

Florence hoche la tête, sans être certaine de bien comprendre. Mais elle fait confiance à Jean-Claude, c'est son boulot. Reprenant un peu de cette mousse chocolatée qu'enrobe dans son assiette une tuile finement dentelée, elle demande :

— C'est cher ?

Il hésite.

— Ce que coûte un traitement, ce n'est pas tellement mon domaine... Je dirais, quinze mille francs la gélule ? Oui, à peu près... Pour un traitement de quatre à six gélules, à raison d'une par mois... Il faudra donc prévoir un budget d'au moins soixante mille francs.

— Ah bon ?

La somme lui paraît tout à coup considérable.

— Enfin, j'imagine que c'est normal, pour un, comment dire...

— Un traitement prototype.

Il ajoute :

— Tu crois que ton oncle en aura les moyens ?

— Ils doivent avoir de l'argent de côté… Je vais passer un coup de fil à tante Élisabeth.

— Parce que nous, insiste-t-il, tu sais que nous ne pourrions pas les aider.

C'est qu'il la connaît : aucun sens pratique, mais un cœur gros comme ça. Et là, ce n'est vraiment pas le moment qu'elle ouvre les vannes de sa générosité.

— Autrement, je te l'aurais tout de suite proposé…

— Je sais, mon nounours. Je sais. Ce que vous allez faire pour l'oncle Georges est déjà formidable.

Il prend une profonde inspiration.

— Que notre travail, ma Flo. Nous aidons ceux qui souffrent.

Un jeu. Il sait bien que ce qu'il fait là n'est pas très honnête. Que ce n'est pas bien de mentir à Florence, même par omission. Mais de toute façon, se dit-il, il n'a pas le choix. Et elle non plus. Avec ce deuxième bébé qui arrive, qui va subvenir aux frais du ménage ?

Et soixante mille francs, pour la famille Morel, ce n'est vraiment pas grand-chose. Jamais il n'aurait eu l'idée de ce traitement, sinon. Il n'est pas un escroc.

La tante Élisabeth – tante de Florence par sa mère – les reçoit le dimanche suivant, à Annecy, dans l'après-midi. Une femme qui prend soin d'elle-même, porte d'élégants tailleurs, se rend tous les vendredis chez son coiffeur. Elle porte au cou, pendue à une chaînette dorée, une petite croix discrète. S'est accordée une touche de maquillage, juste ce qu'il faut pour estomper le spectacle impudique du malheur. Elle parvient à se réjouir de la bonne mine de Camille, trouve un mot gentil pour Florence, agrippe silencieusement le bras de Jean-Claude.

Elle leur propose du gâteau, préparé par ses soins. Un café.

L'oncle Georges est à l'étage. Il se repose.

— Je lui en ai parlé : il est d'accord.

Elle se force à sourire.

— Pour l'argent, je me débrouillerai. Mais je dois vous demander que cela reste entre vous et moi. Il n'est pas au courant.

Elle se tourne vers Florence.

— Tu connais ton oncle. S'il s'agissait de ma santé à moi, il donnerait sans hésiter tout ce qu'il possède pour que j'aie les meilleurs soins. Mais pour lui, jamais il n'acceptera que le moindre centime soit dépensé.

Jean-Claude n'aime plus tellement son jeu, maintenant. Ne l'aime plus du tout du tout, son jeu qu'il a inventé. N'en veut plus. Mais alors comment se fait-il qu'il ne puisse pas l'arrêter ? Là, tout de suite, dire : « Stop ! Je joue plus » ? Pourquoi, oui ? Que se passe-t-il donc avec ces gens ? Qu'ils le laissent tranquille ! Après tout, tout ce qu'il a voulu, c'est leur rendre service…

— Je comprends, dit-il. Tu peux compter sur notre discrétion, tante Élisabeth.

Prenant Florence à témoin, il ajoute :

— Si nous en avions eu la possibilité… Mais vraiment, en ce moment…

— Oh ! Jean-Claude ! s'exclame la femme en rougissant. Tu m'as mal comprise. Je ne voulais pas…

— Ce traitement est vraiment novateur, poursuit-il. En temps normal, je n'aurais même pas le droit de sortir les gélules du labo…

— Je m'en doute, mon bon Jean-Claude…

— Et nos résultats ont beau être excellents – sans quoi je ne me serais pas permis de te les proposer –, je ne peux pas promettre la guérison.

— Je le sais, je le sais.

Les paupières de la vieille dame tremblent un peu.

— Tu fais tout ce qui est en ton pouvoir. Le reste…

Ses doigts effleurent la croix à son cou.

— C'est bien vrai, dit Jean-Claude en se levant de table. Et maintenant, j'aimerais examiner le patient avant de prendre la décision définitive du traitement !

— Va, il t'attend.

L'oncle est allongé, gris, vraiment mal en point. Jean-Claude se garde bien de l'ausculter. Toucher les gens, leur corps, comment peut-on ? Il n'aurait jamais pu être médecin, il s'en rend bien compte à présent. Finalement, c'est une bonne chose qu'il ne soit pas allé au bout de ses études.

Jean-Claude sourit, ne sachant trop par quoi commencer. Comment s'y prendre, que dire au juste ? C'est vrai quoi, il n'a pas l'habitude ! Et puis il est chercheur, pas toubib ! Il dirige des équipes, à l'OMS, donne des cours en faculté, il n'est pas… Enfin, tout cela est bien embarrassant… Mais, après tout, l'homme est condamné. C'est évident. Et ce traitement ne peut que soulager ses douleurs.

— Ce médicament, s'enquiert le mourant, quelle est sa composition ?

Il n'avait pas prévu cette question. De nouveau cette envie de prendre ses jambes à son cou, de fuir cette pièce de théâtre absurde !

— Une nouvelle molécule, finit-il par articuler.

Il fouille dans les quelques notions qu'il pourrait avoir à ce sujet.

— À base d'isothérapique…, ajoute-t-il.

— Ah ? Une sorte d'homéopathie, alors, fait l'oncle avec une grimace d'ironie.

Évidemment, le cancéreux a procédé à quelques lectures, s'est renseigné, a étudié toutes les solutions. Il fallait qu'il tombe sur un homme averti. Un perfectionniste.

Je suis lamentable, se dit-il. D'habitude, quand il discute médecine avec Étienne, ou tout autre ancien camarade de fac qu'il n'a pas pu éviter, il est autrement plus à la hauteur. Mais là, de voir ce qu'est vraiment la maladie, la mort qui s'avance… Il se ressaisit.

— En effet, un peu comme le principe vibratoire en homéopathie, confirme-t-il avec assurance. Une étude statistique de plusieurs milliers de scintigraphies pulmonaires au Xénon 133, conjuguée à l'analyse des hypoxémies, hypocarpogés, hypercapnies, acidoses, et alcaloses de poumons métastasés nous a orientés vers ce type de médecine…

Il fait de son mieux pour noyer l'autre sous son déluge de termes techniques qui lui reviennent maintenant à la mémoire, automatiquement, et qu'il ne comprend plus lui-même. Qu'il assène avec le plus désarmant sourire.

— L'homéopathie, les médecines douces ont beaucoup à nous apprendre, oncle Georges.

— Je suis bien d'accord, répond celui-ci du fond de son désespoir.

— Nous devons être humbles devant les mystères de la nature…, ajoute Jean-Claude.

— Et devant Dieu.

— Ça aussi.

11

Jean-Claude ne veut plus rien savoir de ce traitement. De son application médicale, en tout cas. Sa mission désormais est autre : comment se procurer les gélules.

Selon son plan (la partie qu'il n'a pas exposée à Florence), il doit se présenter à la gare de Genève-Cornavin, où un homme est censé lui remettre les gélules curatives. Dans une enveloppe. En échange, Jean-Claude lui tendra un sac plastique contenant l'argent.

L'idée, les détails lui sont venus un matin à Auchan. Sur le parking. Auchan-Besançon-Est.

C'est une mission de confiance, hautement confidentielle : il en est parfaitement conscient.

L'homme avec qui doit avoir lieu l'échange aura la quarantaine. Le crâne dégarni, il sera vêtu d'un trench-coat beige et portera sous le bras le dernier ouvrage de Pierre Bellemare, *Les Tueurs diaboliques*.

Ils se reconnaîtront par ce nom de code : *Bellemare*.

Par précaution, Jean-Claude arrive avec un peu d'avance.

Il se sent nerveux. C'est normal, se dit-il. Serré sous le bras, il tient le sac contenant l'argent en coupures de cinq cents francs, ainsi qu'il l'a demandé à la tante. Il a un journal à la main, afin de paraître plus naturel.

Dix minutes. Tout le temps de faire ce qu'il a à faire.

Dans la pharmacie située à l'entrée de la gare, il demande une petite boîte de cachets de paracétamol : « L'acide acétylsalicylique m'irrite l'estomac. »

— Doliprane ? fait la vendeuse, indifférente à ses explications.

— Ce sera parfait, mademoiselle. Et des Arkogélules à base d'artichaut, s'il vous plaît.

Il paie avec un billet de dix francs suisses.

Il va s'asseoir sur un banc. Déplie son journal, le replie. Sourit nerveusement, mais personne ne prête attention à lui.

Il se relève.

Cinq minutes. Il se dirige à présent vers la salle d'attente. Est-ce que l'homme est déjà là ? Il s'assure que l'argent est bien toujours serré contre lui, dans le sac. « Bellemare », se répète-t-il mentalement. Il se passe un mouchoir en papier sur le sommet du crâne. Toujours cette hypersudation.

Trois minutes. Même pas.

Maintenant.

Bellemare.

Jean-Claude regagne sa voiture avec soulagement.

Tout s'est bien passé, Jean-Claude ? Comme prévu, oui. Ni vu ni connu, Jean-Claude.

Il ouvre la mallette en cuir qui repose dans le coffre et y déverse les liasses de billets de cinq cents francs, sauf une, qu'il glisse dans la poche intérieure de son veston avant de refermer.

— Cinq mille balles, ma com', eh! eh! glousse-t-il.

Aussitôt il se ressaisit, jetant des coups d'œil inquiets autour de lui. Pourvu qu'on ne l'aie pas entendu. « T'es pas dans une bédé, imbécile! », se dit-il.

La mallette à ses côtés, il s'installe au volant.

— Et maintenant, les gélules.

De la boîte à gants, il sort une enveloppe rectangulaire dans laquelle il insère quatre gélules du flacon acheté à la pharmacie. Puis il la scelle, et à l'aide d'un gros feutre bleu trace les lettres « OMS ».

Voilà pour l'oncle Georges.

Mission accomplie.

Enfin, il prend une gélule pour lui. L'artichaut est excellent pour la digestion. Stimule les sécrétions biliaires. C'est en tout cas ce qui était écrit dans *Votre Santé*.

L'oncle Georges meurt quatre mois plus tard.

Jean-Claude est consterné. L'homme au trench beige était donc bien un escroc. C'était à craindre. Le salopard a dû remplacer le vrai traitement contenu dans les gélules par de la poudre de perlimpinpin. Et bien entendu, il a disparu avec l'argent.

Il est consterné, parce qu'il va être la honte de la famille, désormais. Si la tante parle. Ou Florence. Il n'aurait jamais dû se lancer dans cette aventure.

D'un autre côté, leurs économies connaissent une embellie de soixante mille francs. Et ce n'est qu'un début.

12

Mais qu'est-ce qu'un mensonge, au fond, sinon un songe qui ment ? Et s'il est vrai que le rêve est le gardien du sommeil, qui protège le rêveur endormi ?

Jean-Claude aime la forêt, de tout temps il l'a aimée.

Celle de la Crochère, où son père l'emmenait autrefois, sent la résine et l'humus, la vigueur et la décomposition. Jean-Claude y va souvent, maintenant que ses journées sont comme le lac de Belvaux, une surface lisse et miroitante où se reflète sa rêverie angoissée.

Le matin, il sort peu après sept heures, pour acheter sur la place le pain brioché du petit déjeuner. Mais il se réveille bien plus tôt. Le sommeil lui est un refuge interdit, qui ne l'accueille plus qu'à sa lisière. Depuis qu'il ne dort plus, ou si mal, il est devenu une bête traquée, qui la nuit revoit le vide de la journée écoulée et n'ose envisager la suivante, toujours aussi vide.

Vers 9 heures, il quitte la maison en redisant à Florence la même chose, qu'il sera à Dijon, Besançon, Lyon ou Genève pour y donner un cours ou superviser une recherche en cours au laboratoire, qu'il est inutile de chercher à le joindre sur place, sa propre secrétaire n'arrive pas à lui transmettre les messages, tant il est occupé. Tous les jours, il le lui rappelle, ce n'est sans doute plus nécessaire sinon comme rituel. Rituel dont Florence, semble-t-il, éprouve le besoin autant que lui.

Leur petit deuxième est né, un garçon. Hugo. Tout le monde semblait content, même Camille.

Il a changé de voiture, également. La Range Rover qu'il conduit désormais convient finalement mieux à son statut professionnel. Pour Florence, il a acheté une Volvo d'occasion – la Range aussi est de seconde main –, et ces deux solides véhicules expriment bien à ses yeux la stabilité de leur couple, les certitudes et responsabilités qu'une vie de famille suppose. Il comprend ce que les gens veulent dire quand ils disent d'une voiture qu'elle est « rassurante ».

À côté du téléphone cellulaire, un des tout premiers modèles sortis sur le marché, gros appareil doté d'une poignée et d'une batterie qui prend place dans le coffre, il a déposé son attaché-case de chercheur à l'OMS. Il pense à sa mère et à son père, dont il sait qu'ils pensent eux aussi à lui, sa mère et son père qui se le représentent en train de partir au travail, et c'est exactement ce qu'il fait – non pas partir au travail, puisqu'il n'en a pas, ça il le sait, il n'est pas fou ! mais faire ce que sa mère et son père (et Florence et ses enfants, et tous leurs amis, leurs voisins qui peuvent le voir passer à cet instant) s'imaginent qu'il va faire – « s'imaginent », le mot est impropre, convient-il soudain ; ce n'est pas ainsi que lui voit les choses, son travail à lui est précisément de tout inventer, de fabriquer ce qu'il est, et les

110

autres le croient, tout simplement – c'est cela, le mot juste : ils le *croient*, ils ont foi en lui ! Mais d'une certaine façon, ils l'imaginent aussi : ils l'aident à être, ils collaborent à la création de son personnage. De son image.

Après le col, il longe la crête de la Dole, traverse les Rousses puis file, entre la crête de la Joux et la forêt du Mont Noir, sur Saint-Laurent-en-Grandvaux, un village si triste, si gris sous la pluie et guère plus riant sous le soleil, qui se montre rarement. De là, il engage la Range Rover sur une ribambelle de petites routes et de chemins communaux qui le mènent, par l'arrière, jusqu'à la forêt de son enfance, la forêt de la Crochère.

Il se gare près de la barrière qui marque le début d'un sentier, c'est son emplacement. Il n'y a jamais personne, en semaine, la forêt est à lui seul, il se dit parfois que le monde entier est à lui seul, ou qu'il a été détruit dans la nuit. Le monde entier englouti dans une catastrophe, un trou béant, il n'y a plus que lui au monde. Le dernier survivant.

Il est descendu de voiture et s'est mis à respirer profondément. L'air piquant du matin le rassure : il existe bien.

Il a retiré ses chaussures de ville pour les remplacer par des brodequins de randonnée. Le bas de son pantalon en Tergal rentré dans les chaussettes, il enfile une veste de grosse toile, glisse une pomme dans la poche et se met en marche.

Posément, avec l'assurance des grands marcheurs, il guide ses pas vers les endroits où les aiguilles de pin tapissent le sol, dessinant des formes géométriques. Souples sous le pied, elles font un petit bruit soyeux, et il aime écouter ce chuintement qui monte

111

du sol et lui rappelle le clair ruissellement de l'eau en cavale sous la neige, à la sortie de l'hiver, pendant le dégel.

Son père lui a un jour expliqué les maladies dont souffrent les arbres du secteur. « Il faudrait les abattre, mais personne ne s'occupe de cette forêt. » Les bois dont Aimé Welche a la charge sont situés de l'autre côté de la Chapelle-en-Joux. « Ton grand-père, que tu n'as pas connu, en faisait déjà le marquage. Et avant lui ton arrière-grand-père. »

S'il est un homme réservé, en forêt son père s'est toujours montré affectueux, et plus loquace.

— Et ça, papa, c'est quoi déjà? Un sapin ou un épicéa?

Il connaissait la réponse, mais il aimait que son père s'empare d'une branche et la lui tende en refaisant patiemment la leçon : « Les aiguilles sont molles et disposées sur un même plan, comme un peigne. C'est donc… »

— Un sapin!

— Très bien. Tu vois comme la cime est large et aplatie. Celle de l'épicéa est en forme de fuseau, et les aiguilles…

— Les aiguilles de l'épicéa, complétait alors Jean-Claude, sont rondes et piquantes, vert foncé, et disposées autour des rameaux.

Le père souriait et posait une grosse main sur la tête de l'enfant.

— Et maintenant, dis-moi quel est l'autre nom du sapin, celui qu'on lui donne dans la région?

— Le joux! Comme dans la Chapelle-en-Joux!

— Bien. C'est bien, Jean-Claude. Un de ces jours, tu m'accompagneras sur un de mes secteurs, pour un martelage.

Il songe avec amertume au métier qu'il envisageait d'exercer après le bac, ingénieur des Eaux et Forêts. Mais c'était avant, avant l'échec en Math sup au lycée du Parc à Lyon, avant médecine, avant la catastrophe. Car ce que je vis est réellement une catastrophe, se dit-il soudain, et il s'arrête, pris de vertige. Tout allait si bien jusqu'au lycée. Toujours le premier partout! Sauf en géographie, c'est vrai... Mais le bac, aucun problème, et avec mention! Et puis ensuite... Ensuite, il y a eu Florence. C'est-à-dire que Florence, il l'a connue depuis toute petite, mais un jour il s'est mis à la connaître comme jamais auparavant. Et c'est là que tout a commencé... Non, en fait, ce n'est pas vrai. S'il est honnête avec lui-même – et il faut être honnête avec soi-même –, il doit bien reconnaître que la vraie raison n'est pas là. La vraie raison, il la connaît. Il ne devrait pas se la dire, mais il se la dit quand même. Il se dit que s'il était devenu ingénieur des Eaux et Forêts, il aurait fait le métier de son père. Pire, il aurait été son supérieur. Le chef de son père. Le père de son père, et ça non, non, cela n'aurait pas été possible. Impossible! a-t-il envie de hurler, j'ai été victime de quelque chose d'impossible, d'incompréhensiblement impossible, de plus fort que moi, plus fort que mon père, ma mère, mon amour pour Florence. C'est ça, le vrai drame de ma vie.

Des larmes lui montent aux yeux. Celles d'une immense pitié qu'il éprouve pour lui-même.

Ce qu'il aurait aimé devenir, c'est botaniste. Ou simple fleuriste.

Il s'est remis à marcher. Ce pas assuré et lourd, c'est celui de son père, il s'en rend compte maintenant seulement. Parfois Aimé le suspendait, ce pas de grand marcheur, de grand amoureux de la forêt, et il s'arrêtait pour écouter le chant d'un oiseau. « Djet-djet », faisait-il en parfaite imitation. Il ajoutait : « C'est un sizerin flammé. »

Lorsqu'à proximité d'un plan d'eau ou d'une rivière retentissait un « kiirik » puissant et discordant, il demandait en couvrant les yeux de Jean-Claude (parce qu'autrement cela aurait été trop facile) :

— Et ça ? Tu reconnais ?

Et Jean-Claude disait, feignant l'hésitation :

— Hmm… Un martin-pêcheur ?

— Bravo ! Tiens, regarde maintenant, il file par là…

Il retirait sa main et tendait le doigt en direction du petit oiseau marron qui plongeait en piqué avant de rejaillir de l'eau, un poisson dans le bec. Jean-Claude battait des mains.

— Il l'a eu, papa, tu as vu ?

Son père était chasseur. Pas un grand fusil à cause de son tremblement, une séquelle de la guerre disait-il, il lui arrivait souvent de rater sa cible – ses compagnons de la société de chasse se moquaient de lui et faisaient mine de se mettre à l'abri quand il s'avisait de tirer. Mais, bon an mal an, il ramenait néanmoins quelques poules d'eau, deux ou trois faisans, très exceptionnellement un chevreuil ou un sanglier. Le gibier était apprêté puis placé dans le congélateur, à la cave, jusqu'à ce qu'Anne-Marie vînt le retirer pour le servir à « ceux d'Annecy », comme elle disait en parlant des parents de Florence, lors des grands rassemblements familiaux. Sa tante Cécile aidait à la cuisine ; à l'époque déjà, Anne-Marie était malade, elle n'aurait pas été capable de tout préparer seule, d'affronter tout ce monde ; elle appréhendait cette agitation, et se consolait en profitant de l'occasion pour décongeler et cuire un peu de viande en plus, qu'elle réchauffait dans la semaine juste pour eux trois, avec quelques haricots et de la purée. Sinon, les autres dévoraient tout.

Bien que Jean-Claude n'aimât pas réellement la chasse – ce qu'il n'aimait pas, c'était se retrouver au milieu de tous ces hommes pleins de vin et sentant fort de la bouche qui traquaient les pauvres bêtes avant de les tuer –, il n'avait jamais osé le dire à son père, et pour son quinzième anniversaire, il reçut de lui une carabine Anschutz 22 LR à crosse de noyer. Ce jour-là, ils s'étaient contentés d'aller tirer quelques cartons dans le jardin. L'arme effrayait l'enfant : elle lui paraissait tellement lourde ! Mais il fit preuve d'un excellent coup d'œil et, dès l'année suivante, son père lui procura un permis, en lui promettant que désormais ils iraient chasser seuls, juste eux deux. Avait-il deviné quelque chose de l'aversion de son fils pour la société de chasse, ou avait-il trouvé là un bon prétexte pour fuir cette assemblée où lui-même ne se sentait pas très à l'aise ? Il était en tout cas enchanté d'aller seul en forêt avec son père, et même rassuré que celui-ci fût un piètre tireur : avec un peu de chance, ils parviendraient à rater leur gibier.

Ils s'étaient levés de bonne heure.

Arrivés à la forêt, ils se mirent en marche sans un mot, comme des soldats dans une cathédrale, intimidés par le silence. Le jour s'infiltrait entre les arbres, dissipant la brume qui flottait sur la campagne, en contrebas. Jean-Claude frissonnait, des lambeaux de sommeil encore accrochés à lui, ses membres tout engourdis par le reste de nuit et l'air froid et humide. De temps à autre, Bobette venait

115

affectueusement lui lécher la main. Aimé marchait en tête, levant haut les jambes pour surmonter l'obstacle d'un tronc putréfié jeté en travers du chemin. Il n'était pas obsédé par la traque et prenait son temps pour signaler à son fils les « petits miracles », comme il disait, que leur offrait la nature : un champignon aux formes bizarres poussant sur une souche d'arbre et dont il éprouvait du doigt la spongieuse sensualité, une toile d'araignée perlée de gouttes de rosée sur lesquelles jouait la lumière, la nappe de brouillard qui dansait au-dessus d'un lac.

Un long moment s'écoula sans qu'ils vissent de gibier. Jean-Claude se laissa gagner par l'euphorie émanant de la nature. Le nez imprégné des senteurs magiques de la terre, l'oreille sollicitée par des bruits insolites venus des sous-bois où l'œil reste aveugle, il se sentait aussi excité que sa petite chienne adorée. Il aurait aimé l'embrasser, ainsi que son père, d'un même élan, parce qu'à eux trois ils ne formaient qu'un dans ce monde protecteur. Un vol de colverts traversa le ciel ; ils se contentèrent de le suivre du regard.

Au moment où ils commencèrent à avoir faim, il se mit à neiger, et ils décidèrent de s'abriter sous les branches d'un sapin pour manger un morceau de pain avec du fromage, et quelques dattes. Des flocons traversaient la ramure, qui se déposaient doucement sur leurs épaules. Le pelage de la chienne, un épagneul breton aux yeux pétillant d'intelligence, dégageait une chaude odeur de mouillé. Jean-Claude lui massa doucement la nuque. Il l'avait eue pour son dixième anniversaire, peu après le deuxième accident utérin de sa mère.

Depuis, Bobette était sa seule vraie compagne. Le soir, au lit, il lui parlait à voix basse, pour qu'elle ne se sente pas seule (elle n'avait pas le droit de monter sur les couvertures et devait rester sur sa couche, au pied du lit), il lui racontait l'histoire de ses deux amis, Loup et Renard. Loup et Renard viendraient dans la nuit leur rendre visite, et ils feraient la course ensemble. Loup et Renard étaient gentils, c'étaient un vrai loup et un vrai renard, sauf qu'ils comprenaient ce qu'on leur disait, savaient parler, avaient même une famille qu'il fallait nourrir en allant travailler. Ils étaient aussi les gardiens de la Terre. Loup et Renard – le premier très fort et le second très intelligent – étaient tout à fait comme Bobette, mais ils habitaient dans la forêt.

Bobette était un peu moins forte que Loup et un peu moins intelligente que Renard. Mais elle était la plus proche de Jean-Claude, celle sur qui il pouvait réellement compter pour le rassurer, quand le terrifiant gouffre du noir s'ouvrait devant lui et menaçait de le happer ; un trou insondable et froid, si terrifiant que ni Loup ni Renard n'osaient en approcher. Il savait que si jamais il y tombait, personne, absolument personne (pas Bobette, la seule pourtant qui pouvait l'accompagner tout au bord, pas son père, pas sa mère, qui n'en connaissaient pas l'existence), ne viendrait l'y chercher. C'était un trou très spécial : quand on y tombe, on ne s'y casse pas une jambe, on n'y meurt pas, mais on y vit pour toujours, dans le froid et le noir, et la solitude, et la peur, la peur terrifiante parce qu'alors dans la tête, la tête des enfants que le trou a avalés et commencé à digérer, dans leur tête s'insinue la bête-sans-nom (cela n'aurait pas pu être Araignée, malgré la ressemblance, parce que même les araignées peuvent être gentilles), sans nom mais toute noire et velue, et avec des yeux, oui, des yeux, vides et ce vide suce la chaleur, le soleil, les regards de ceux qui vous aiment, tout ce qui en vous fait que vous les aimez aussi, tout ça est aspiré dans les yeux vides et noirs de la bête noire dans votre tête, dans le froid et le noir du trou sans fond et disparaît à jamais de vous, et alors vous êtes vraiment seul, vraiment *vraiment* seul, sans plus la moindre image dans la tête pour vous tenir compagnie, plus le moindre regard, disait-il à sa petite Bobette, il n'y a que la bête, qui attend encore un peu pour s'assurer qu'il n'y a plus du tout d'image en toi – maintenant il s'adressait directement à Bobette, il avait peur tout à coup de lui raconter cette histoire, il la serrait contre lui –, toi, toi, lui disait-il tout près de son oreille, comme si la moindre distance allait effacer ses mots – encore une toute petite image que tu cherches à cacher, et quand elle est sûre qu'il n'y en a vraiment plus, et elle le sait, la bête, elle s'en va à la recherche d'autres têtes d'enfant (et des grands aussi) tombés dans le trou, elle s'en va mais en disant qu'elle reviendra, et alors, tout ce qui reste dans la tête, avec le froid et le noir et la peur, c'est cette voix, ou plutôt son écho, qui dit qu'un jour elle reviendra sucer le peu d'image qui aurait pu réapparaître en vous.

Il neigeait toujours lorsqu'ils se remirent en marche. De tout petits flocons, virevoltants et piquants comme des mouches blanches, s'accrochaient à leurs vestes de chasse. Devant une rangée de hêtres, Aimé dit : « Ici, on les appelle des foyards », et Jean-Claude eut un sourire. Il n'avait pas oublié :

« Feuilles ovales, régulières, légèrement oléagineuses… » Pour parler de la forêt, son père employait toujours le mot exact et technique. Il n'était silencieux que dans la vie.

Ils s'arrêtèrent en bordure d'une clairière, un peu en retrait, sous le couvert des taillis. Le vent soufflant de face, la neige tombait légère, l'air était sec et sentait bon l'hiver. Soudain, Bobette fila sur la droite et disparut dans les buissons. « Elle a dû sentir quelque chose, chuchota son père, tu vas voir… » Il était essoufflé. Depuis qu'il souffrait de diabète, la marche le fatiguait.

Un chevreuil apparut en effet sur le pré. Il trottinait, ses pattes délicates touchant à peine le sol, sa tête majestueuse surmontée de ses deux bois verticaux. Ses oreilles faisaient penser à des feuilles, de grandes feuilles de velours toujours dressées au vent. De longs cils balayaient ses larges yeux, d'une douceur incroyablement féminine. Le corps de l'animal se tendit. Son nez humide était à la recherche d'odeurs inhabituelles. Il connaissait celles de l'écorce des arbres, de la neige ou de la terre, et certaines odeurs de pelage, d'urine ou d'excrément lui étaient également familières ; les autres, en particulier celle de l'homme, ou de son compagnon le chien, l'alarmaient immédiatement.

Jean-Claude et Aimé se trouvaient à quelques dizaines de mètres à peine, mais le chevreuil ne dut pas sentir leur présence, et il baissa paisiblement son museau vers la neige, en quête d'un brin de barbe-de-bouc jauni par le gel. Bobette devait être à fureter dans le coin, ses instincts de chasseur la préservant de se faire repérer par la proie.

— C'est le moment, fit Aimé à voix basse. Tu tires ?

— Non, il est à toi, répondit Jean-Claude sur le même ton.

Aimé épaula, et le coup de feu partit. Jean-Claude songea qu'en cet instant précis il n'y avait pas de différence entre le chasseur et son gibier, qu'ils ne formaient qu'un, dans une même unité de vie. Pour un instant seulement. Dès que le coup aurait atteint sa cible, cette unité exploserait et de l'impact naîtrait la mort, arrogante comme une fleur rouge.

Le chevreuil sursauta, stupéfait par l'explosion, tétanisé par la peur, une fraction de seconde avant de s'enfuir, indemne.

Dans le même laps, instant précis qui avait suivi le coup de feu et monopolisé toute l'attention des deux chasseurs, un bref hurlement s'était élevé sur leur droite, tout près de l'endroit où se tenait le chevreuil avant de filer. Ils n'avaient pas dissocié le hurlement du gibier. Mais quand Bobette apparut derrière un buisson, ils virent qu'elle se traînait, le corps désarticulé. Un filet de sang rosissait la neige. Elle ne hurlait déjà plus, mais jappait plaintivement, de plus en plus faiblement.

Jean-Claude et son père se précipitèrent. La balle avait frappé la chienne en pleine poitrine. Sa langue pendait sur sa gueule ensanglantée, comme si elle avait planté ses crocs dans de la chair fraîche. Puis un voile recouvrit ses yeux, du sang goutta de sa truffe noire, et une colonne de merde fumante, mêlée de pisse et de glaire, s'écoula de son arrière-train, qu'agitaient encore des soubresauts nerveux. Elle était morte.

Il termine de croquer sa pomme, et jette le trognon dans un buisson qui bruisse comme si une bestiole allait en sortir et l'engueuler d'avoir été dérangée. Mais plus rien de bouge. Il reprend sa promenade.

À plusieurs reprises il tend encore l'oreille. Il lui semble avoir entendu prononcer son nom. « Jean-Claude, Jean-Claude », susurrent les hauts conifères en se penchant vers lui, mais il ne s'agit que du vent dans les branches. Il secoue la tête en souriant : si quelqu'un le voyait tendre son oreille aux arbres en s'imaginant qu'ils l'appellent, on le prendrait bel et bien pour un fou !

Il songe que bientôt il pourra venir ici en compagnie de Camille – et avec Hugo, quand il sera plus grand – et qu'à son tour il leur apprendra le nom des arbres et des oiseaux. Il repense encore à Bobette, à chaque fois qu'il arpente ces sentiers il y pense – c'est comme fréquenter un cimetière. Il marche encore un moment sur ce sentier aussi encombré de branches mortes que ses pensées le sont de souvenirs. Les souvenirs. Il a le sentiment qu'il n'est fait que de ça, ils sont sa chair, occupent le moindre recoin de son esprit. Tellement puissants, tellement envahissants parfois qu'ils lui paraissent plus réels que la réalité. Ce qui est normal, après tout, se dit-il, et cette pensée soudain le soulage. Sa mémoire est un réservoir intarissable ; chaque jour, chaque geste, même le plus insignifiant, finit par y trouver sa place… Et devient une image… Mais qu'adviendrait-il si jamais ces souvenirs – d'autres souvenirs, encore à fabriquer, horribles, inimaginables – venaient à se retourner contre lui ? Un jour, les images… Sa mémoire inépuisable, mais désormais comme un puits sans fond, un trou noir et froid…

Il est temps d'y aller, se dit-il. Midi moins le quart.

Avant d'arriver à Belvaux, il fait un crochet par le centre commercial, pour les bouteilles de Contrex. Puis c'est la traversée du bourg, et la maison de ses parents que l'on distingue après le virage. Toujours la même émotion, ce mélange de familiarité et d'étrangeté. Il songe à la route qu'il prendra tout à l'heure, après le déjeuner et une courte sieste dans sa chambre, celle de son enfance, de son adolescence, de sa vie de jeune homme, de sa vie de toujours, la route qui doit le mener à la faculté de Besançon. Ou de Dijon. Pour ses « conférences ». Cela dépend des jours, de la durée de sa promenade dans la forêt, de l'heure à laquelle il repart. Il faut que son scénario soit cohérent. Toujours. Ne jamais baisser la garde. Même avec ses parents. Tout ne tient que grâce à ça, ce principe essentiel : la cohérence du scénario.

La petite montée vers le portail.

Il se gare.

Bonjour, maman !

Papa, ça va ?

Et ma Bobette ! Elle est là qui accourt vers lui et lui fait la fête. C'est une jeune chienne, un Labrador à la robe fauve. Jean-Claude l'avait un jour apportée en cadeau à Camille, pendant la seconde grossesse de Florence, mais sa fille n'en avait pas voulu. Il l'avait donc confiée à ses parents, qui l'avaient adoptée sans protester. Et Jean-Claude l'aime, sa Bobette. D'ailleurs, il garde d'elle une photo dans son portefeuille, et n'attend qu'une occasion pour la présenter avec fierté : « Regardez : Florence, mon épouse, mes enfants Camille et Hugo... Et ça, c'est Bobette ! »

Sa famille tant aimée.

Il pousse le portail, les bras chargés. Son père lui propose un coup de main.

— Je veux bien. Merci, Papa.

Ne jamais baisser la garde. Sinon, le trou noir.

13

Il est d'humeur maussade, ce matin, ou seulement triste, il n'arrive pas à se décider. Ce genre de temps, ensoleillé, faussement printanier, a tendance à lui ficher le cafard. Et quelle idée de vouloir d'abord aller à la messe, avec une gamine turbulente et un bébé de cinq mois !

C'est Pâques. Ils vont passer la journée chez les beaux-parents, à Sévrier, au bord du lac d'Annecy. Mais d'abord, il faut aller à la messe.

Et Florence qui n'arrive pas. Mais qu'est-ce qu'elle fabrique donc ? Jean-Claude est descendu le premier. Il aurait peut-être dû l'aider avec le landau, dans l'escalier. Mais il préfère encore attendre dans la voiture. Ils prennent la Volvo, où le siège du bébé peut rester fixé en permanence. Pas à tripatouiller ces satanées sangles à chaque fois.

Tiens, les Deschamps. Il leur adresse un petit salut de la main, accompagné d'un large sourire. Eux aussi en route pour la messe, avec leurs enfants. Le garçon et la fille, deux et trois ans, Victor et… L'un et l'autre atteints de surdité.

Victor et Émilie, c'est ça. On ignore le pourquoi de leur maladie. Ce doit être dur pour Christine. Une femme qui a de la présence. De la personnalité. Et son drôle de loustic de mari. Florence en fin de compte a beaucoup plus d'amis que lui. En dépit des airs qu'elle se donne de toujours trancher entre le bien et le mal – un tel est ceci, un tel cela –, tout le monde la prend en sympathie. Florence gagne à être connue, dit Étienne. Elle est tellement généreuse d'elle-même qu'on ne peut que l'aimer.

Christine a répondu à son sourire. Il en a rougi, une fois de plus, en tout cas en a eu l'impression, et s'est enfoncé un peu dans son siège. Le mari aussi a répondu, mais avec cet air qu'il n'apprécie décidément pas. L'air de tout savoir sur tout le monde. « Vous connaissez la signification de *Welche* en allemand ? lui a-t-il dit l'autre jour. *Roman* – pas comme le roman de littérature, plutôt comme l'art roman. Ou *romand. Die Welche Schweiz :* la Suisse romande. Un autre sens est : *étranger.* Pas comme dans "étranger à soi-même", non. Plutôt l'étranger à la culture. »

— Vous êtes bien renseigné.

— Je me renseigne, en effet.

— Sur moi ?

— Pas sur vous en particulier, docteur Welche. Pourquoi ferais-je cela ?

Ce genre d'individus, le mieux était encore de les ignorer. Il se demande s'il fréquente toujours les tables de jeu. Probablement. Ce qui doit leur coûter une fortune. Il paraît, c'est Florence qui l'affirme, que Christine est bien malheureuse. On la comprend : vivre avec un dentiste ! Cela n'explique peut-être pas tout – c'est aussi le métier qu'elle exerce, après tout, mais dentiste, se dit-il, comment peut-on faire un

126

boulot pareil ? Déjà médecin, mais alors dentiste. Rassurer les gens qu'on ne leur fera pas mal, et puis leur faire mal quand même. Tout en leur soutirant un maximum d'argent. Une honte. Florence d'ailleurs lui en laisse beaucoup trop, au Dr Deschamps. Couronnes, inlays, onlays, quoi d'autre encore ? Soin des gencives, peut-être. Lui a plus de chance. Des dents parfaites. Une carie de temps à autre, tout au plus…

Florence et les enfants sont enfin prêts.

Ils ont calculé qu'en se rendant à l'office de 9 h 30, ils pourraient être à Sévrier pour le déjeuner.

Ils prennent l'autoroute qui les mène à Saint-Julien, et de là la nationale 201, par Cruseilles. Il connaît bien cette route. Combien de fois dans ses errances ne l'a-t-il parcourue ? Celle-ci ou une autre. Sa vraie profession, son métier, c'est ça : être sur la route. Il est presque tenté de dire à sa femme, à Camille et à Hugo assis à l'arrière : « Et là, vous voyez, c'est là que Papa s'arrête pour déjeuner à midi. Ici, il fait ses courses. Là encore, il a lu le dernier Simenon. » Et ainsi de suite, ces lieux étrangement familiers, secrètement familiers, il aimerait les partager. Dire son plaisir d'entrer dans une librairie. Simplement, sans arrière-pensées. Mais il ne le peut pas. Partager ses faits et gestes les plus banals lui est interdit. Il ne peut que prendre la mesure de sa solitude.

Ce chanteur à la radio, il l'aime bien. Amoureux de sa maman et tellement triste. Exactement ce qu'il lui faut. Triste comme ces faubourgs de Charvonnex, qu'ils traversent maintenant.

C'est peut-être l'estomac qui me met dans cet état, songe-t-il en réprimant une grimace. Ces élancements à l'intérieur du ventre, comme une torche qu'il aurait avalée. Peut-être un ulcère. Il faudra qu'il consulte son *Santé pour tous*.

— Je n'aurais pas imaginé un type comme Deschamps à l'église, dit-il.

— Les gens ne sont pas toujours comme on les imagine, répond Florence en se tournant vers la banquette arrière. Hugo est assoupi et Camille, pour une fois silencieuse, absorbée par ce qui se passe sur la route. « Tout va bien, ma chérie ? Tu n'as pas besoin que papa s'arrête ? »

Non. Mais c'est lui qui aurait besoin de s'arrêter. Et s'asseoir, un beau matin, fatigué, sur le trottoir d'à côté.

— Ainsi, le coût total du leasing s'élèvera à cent quarante et un mille, trois cent cinquante huit francs et six centimes, dit Charles Morel. Le 25 novembre de l'année prochaine – j'ai noté la date –, tu me rendras une première tranche de cent cinquante mille francs. Pour le reste, nous verrons plus tard ; en attendant, nous le laisserons tranquillement faire ses petits intérêts... Qu'en dis-tu ?

— Je dois reconnaître que c'est une bonne idée, dit Jean-Claude en plissant les yeux. Je n'y avais pas pensé.

Le père de Florence referme le petit carnet dans lequel il a consigné ses comptes.

— Là, tu me déçois un peu, dit-il en souriant.

Il ajoute :

— Je plaisante.

Le père de Florence est de bonne humeur. Pour son départ anticipé à la retraite, il a touché une prime de quatre cent mille francs. Son intention première était de s'acheter comptant une Mercedes et de vivre heureux avec le reste.

— C'est bien toi qui m'as parlé de tes placements à dix-huit pour cent, poursuit-il. Non?

L'idée lui était alors venue de confier l'essentiel de sa prime à son gendre, et d'acquérir plutôt la voiture en location-vente.

Jean-Claude hésite.

— C'est que... Trois cent mille francs, c'est une grosse somme d'argent. Un peu risqué à la frontière. Vous comprenez, Papy? Je préférerais que vous me remettiez six mensualités de cinquante mille francs. En liquide, précise-t-il. Il nous faudra plus de temps pour rentabiliser à plein le placement, mais c'est plus prudent.

Morel considère un instant la situation et dit:

— Tu as sans doute raison. Mais... en liquide, à chaque fois?

— En raison de mon statut de fonctionnaire international, je ne paie pas d'impôts en France. C'est-à-dire, nous ne payons des impôts que sur les revenus de Florence, qui ne sont évidemment pas très importants. Je vais vous faire un aveu: c'est moi qui remplis sa déclaration, et il m'arrive de la majorer un peu! Pour ne pas attirer l'attention sur nous, évidemment.

Il s'interrompt soudain. Une image vient de lui traverser l'esprit, et la honte qu'il éprouve est indescriptible: il a eu envie de lui toucher le sexe, à cet homme! Le père de Florence! Mon Dieu, et s'il s'en rendait compte?

— Continue, dit Morel, imperturbable.

Ce qu'en cet instant il aimerait le plus au monde, c'est être seul, seul au fond de son petit lit. Pas chez lui à Prévessin, mais chez ses parents, dans sa

129

chambre, à l'étage, avec les arbres qui lui font bonjour par la fenêtre. Dans son petit lit et ne plus jamais en sortir.

— Qu'est-ce que je disais? Oui, je n'ai donc pas intérêt à déposer de gros chèques sur notre compte en France. L'argent que vous me remettrez passera directement en Suisse.

Morel tend la main à son gendre, et comme celui-ci ne réagit pas, il va chercher sa main et la serre.

— Marché conclu, dit Morel. C'est une grosse somme d'argent que je vais te remettre là. Tu es la seule personne en qui j'ai suffisamment confiance.

— Je sais, murmure Jean-Claude.

14

— Pourquoi vous ne déménagez pas? s'étonne François. À quatre dans un F2... Avec ton salaire, tu devrais pouvoir te payer une villa.

— L'OMS lui alloue une indemnité de logement dont il ne peut bénéficier qu'en tant que locataire. C'est bien ça, Jean-Claude? Bon, taisez-vous, c'est à moi. La 8, par la bande.

Étienne vise, précipite la bille dans la poche indiquée.

— Vous pouvez applaudir, les gars!

Il se redresse.

— J'aurais cru l'Organisation un peu plus cool avec toi. Enfin, ça ne vous empêcherait pas de louer une villa, effectivement.

Clignant des yeux à cause de la fumée de son cigare, Étienne désigne cette fois la bille numéro 5.

— Merde, raté! À toi, J.-C.

J.-C., songe-t-il, c'est la nouvelle façon qu'a Étienne de m'appeler. Pour faire américain. *Cool.* Sa dernière lubie, à Étienne : vivre aux États-Unis... Quant à François, il lui donne du « Welche » à tour de bras, désormais. La complicité virile. Tout finit par arriver.

Jean-Claude répond qu'il n'a jamais affirmé qu'ils resteraient toute leur vie dans cet appartement. Mais une villa, comme tous ces fonctionnaires internationaux qui abusent de leurs privilèges ? Pas question. Ce ne serait pas éthique. Il choisit une bille. La 5, tiens, pourquoi pas ?

À peine effleurée, la bille traverse lentement le tapis, comme à regret, avant d'embrasser le coin, dans lequel elle s'engouffre soudain, happée par le trou.

François secoue la tête, médusé.

— Pas un coup facile, dit-il. Mine de rien, il n'est pas mauvais, l'ami Welche. Cache bien son jeu.

Étienne cogne bruyamment sa queue sur le parquet et dit avec exaspération :

— Je peux te dire qu'à sa place, moi, j'en profiterais. Tu ne te rends pas compte, mon vieux, combien les libéraux que nous sommes triment pour joindre les deux bouts. Assassinés par les charges. Le cabinet à rentabiliser. La secrétaire qui tombe malade…

— C'est vrai, renchérit François. Pharmacie, médecine, c'est devenu des boulots de petit commerçant.

Il avale une lampée de bourbon.

— Au fait, j'ai toujours tes champignons…

— Tu fais le commerce des champignons, maintenant ? demande Étienne en ricanant. Et toi, Jean-Claude, tu joues ou quoi ? C'est à toi…

— L'autre jour, avant que Jean-Claude n'aille à New York, j'ai ramassé une superbe amanite phalloïde. Mortelle à souhait…

— Ne le déconcentre pas.

— Et Jean-Claude m'a demandé de lui mettre de côté, ajoute François.

— Pour sa belle-mère ? s'amuse Étienne.

132

— Pour une culture cellulaire, réplique Jean-Claude en faisant coulisser sa queue. Mais la chance cette fois n'est pas de son côté.

— C'est bien ce que je disais, conclut Étienne, en se penchant sur le tapis vert. C'est pour la belle-mère !

New York – Jean-Claude préfère ne pas en parler. Ils y sont allés, en effet, Florence et lui. Sans les enfants, restés chez leurs papy et mamy de Belvaux.

Son premier vrai voyage à l'étranger, si l'on excepte la Suisse, et un week-end en Italie en compagnie d'Étienne et Anne.

Dès leur arrivée à Manhattan, Jean-Claude avait senti qu'il n'était pas à sa place dans cette ville. Cela tenait à des détails : la chaleur, l'agitation, le bruit. Et tous ces Noirs, partout. Pas vraiment méchants, mais si sales, si pauvres. Sans compter qu'il ne comprenait pas un mot de ce que les gens lui disaient, alors qu'il avait toujours affirmé à Florence qu'il ne parlait que l'anglais avec ses confrères internationaux. Il était de bonne foi, d'ailleurs : ses revues médicales en anglais, par exemple, il comprenait toujours ce qu'il y lisait.

Florence a des amis à New York. Hélène, qu'elle connaît depuis qu'elles sont enfants, quand elles suivaient ensemble le cours de danse de Mme Dumont. Son mari : Paul Schwartz, originaire de Strasbourg, biochimiste. Avant de s'installer aux États-Unis, il était en poste en Colombie. Il a d'ailleurs eu l'occasion de travailler en collaboration avec l'OMS, sur la malaria.

— Le professeur Picardolet ? En effet, je le connais. Nous devrions nous retrouver cet automne à Atlanta, pour la grande conférence annuelle. Tu y seras, toi, Jean-Claude ?

Cet automne, il restera à la maison. Il aurait même mieux fait de ne jamais en bouger.

Puis il a souffert d'une crise d'asthme, simulée sans trop de difficultés : les Schwartz ont un couple de chats angora. Et Jean-Claude a toujours été allergique aux chats, Florence peut le confirmer. Au risque de paraître impoli, il annonce également qu'en vacances, il n'aime pas parler de son travail. L'argument est un peu faible, mais Paul Schwartz n'a aucune raison de douter de ce qu'il dit.

— Remarque, le reste du temps non plus tu n'en parles pas, a renchéri Florence d'un ton moqueur.

Tout cela reste sans conséquences. Les Schwartz ne le connaissent pas. Ils ne peuvent pas savoir. S'il ne fait pas d'impair, il ne risque rien.

Il se réfugie devant la télé. Les enfants des Schwartz ont branché pour lui leurs jeux vidéo ; Jean-Claude est assez doué, en particulier pour tout ce qui simule des combats, exige de bons réflexes. Avant la fin de la semaine, ses scores rivaliseront avec ceux des gamins.

Pour faire plaisir à Florence, il a un peu visité la ville. Il a pris plaisir à se rendre chez Bloomingdale's, le grand magasin près de Central Park. À Florence, il a offert un sac Lancel. Conforme à son habitude, Jean-Claude s'est également payé quelque chose. Une montre Breitling, pour commencer.

— Mais tu es fou, toutes ces dépenses ! s'est extasiée Florence.

Il a poussé l'audace jusqu'à franchir le seuil d'un magasin d'électronique tenu par des juifs à chapeaux et papillotes. Quand il est ressorti de ce temple du *discount*, il avait les bras chargés de paquets : un caméscope, un appareil photo et un nouveau dicta-phone. Il ne compte plus. Il dilapide.

Dans l'avion qui les ramène en France, il consulte sa montre chrono dont l'allure militaire lui corres-pond si peu. Trop dure pour son poignet. Il a des mains d'enfant. Petites et potelées, il les a toujours eues en horreur. Comment ce serait de me les tran-cher, se demande-t-il. Et il s'imagine tracer dans l'air, de ses moignons, une arabesque sanguinolente.

Florence est agitée, à côté. Elle dit que c'est la chaleur. L'inconfort de l'avion. Jean-Claude se dit qu'il y a autre chose. Mais Florence ne l'aide pas beaucoup. Elle-même ignore ce qui la préoccupe au juste. Derrière ses paupières closes, elle a cherché. Elle n'a trouvé que Camille et Hugo. Ses enfants lui manquent terriblement. Comment avait-elle pu les abandonner, ne serait-ce qu'une semaine ?

Et puis Jean-Claude a été tellement distrait au cours de cette semaine, tellement absent. Elle le sur-prend, le regard dans le vide. Quand elle lui parle, il détourne les yeux. Elle a soudain l'impression d'avoir affaire à un étranger. Elle songe que ce sen-timent n'est pas nouveau. Jean-Claude est comme ça. Un rêveur. Mais depuis quelque temps, il se sur-passe, plus *lui-même* que jamais. C'est-à-dire inexis-tant pour elle. Heureusement qu'elle va retrouver ses enfants. Elle n'a qu'eux, dans sa vie. Elle s'était sentie soudain terriblement seule.

Pendant le vol, elle est allée jusqu'à lui adresser des reproches. Hélène, a-t-elle dit, connaît tous les collègues de travail de son mari.

— Pourquoi, moi, je ne rencontre jamais les tiens ? Pourquoi ne me fais-tu pas davantage partici-per à ta vie professionnelle ?

135

Mais Florence connaissait la réponse : parce qu'au fond, elle ne s'y est jamais intéressée. Et qu'elle n'avait pas tellement envie de s'y mettre.

— Un jour, lui a-t-elle dit encore, tu auras un accident et je ne serai même pas mise au courant.

Elle a sorti un mouchoir, pour montrer combien ses larmes étaient sérieuses.

Ce jour-là, Jean-Claude aussi a eu les yeux humides. Les larmes des autres provoquaient les siennes, cela ne ratait jamais. Du reste, il comprenait l'angoisse de sa femme : sans le savoir, elle était très proche de la vérité.

Mais comment pouvait-elle être aveugle à ce point ? Il prit le désarroi de Florence pour le signe incontestable de son amour, et laissa échapper un sanglot.

15

Déjà novembre. Qui donc a dit du temps qu'il était sable filant entre les doigts, s'interroge Jean-Claude, qui lit les philosophes.

Le temps, et l'argent. À quinze jours de l'échéance fixée par Charles Morel, il ne lui reste presque rien des trois cent mille francs que celui-ci lui a confiés. Seul un miracle, songe-t-il, pourrait le tirer d'affaire.

C'est un mercredi après-midi. Au bord du lac de Sévrier, la brume a jeté un châle sur les épaules des maisons, qui semblent frissonner. Un drôle de jour, où le vent porte loin les odeurs des feuilles que l'on brûle dans les jardins. Une odeur de temps qui passe. Douceâtre de la mort. Cette année, songe-t-il, novembre a commencé par la Toussaint.

Il a laissé sa voiture le mener devant la maison de son beau-père. Jean-Claude s'est avancé sans un bruit, tout comme ce jour est sans aspérité, le réel atténué dissous dans le rêve. Il est hier ou demain, aujourd'hui encore et toujours.

Absorbé dans la taille d'une haie de troènes, Charles Morel sursaute en apercevant son neveu.

— Jean-Claude ! Tu m'as fait peur ! s'exclame-t-il en riant. Qu'est-ce qui t'amène, mon garçon ?

Rien de spécial, dit Jean-Claude. Il était simplement de passage dans la région. Retour d'un colloque. « Mamy n'est pas là ? »

— Elle est à Annecy jusqu'à samedi, pour ses examens à la clinique.

Morel fait cliqueter son impressionnante cisaille.

— C'est gentil à toi d'être venu me faire une petite visite, dit-il.

Avec sa salopette neuve, sa grosse ceinture en cuir lestée d'outils rutilants autour de la taille et son joli bonnet de laine sur la tête, le père de Florence a l'air de se plaire dans son nouvel emploi de retraité.

— Je termine cette rangée, dit-il, et on a va aller se faire un café. Je me suis préparé ce matin des pruneaux au vin et à la cannelle dont tu me diras des nouvelles.

Jean-Claude suit le mouvement des cisailles qui font voleter les branches coupées avec un petit bruit d'oiseau. Le jour se retire déjà, lentement absorbé par le lac.

— Dites, Papy. Vous souhaitez toujours récupérer l'argent, n'est-ce pas ?

— Bien sûr, répond Morel sans s'arrêter. Pourquoi, il y a un problème ?

— Pas du tout. C'est simplement que cet argent… C'est simplement que le placement est d'autant plus intéressant qu'on lui laisse le temps de fructifier.

— Je sais, Jean-Claude. Mais je veux tout de même le récupérer. J'ai des projets.

Les coups de cisaille s'interrompent.

— Voilà, ça ira pour aujourd'hui.

Ils vont remiser les outils de jardinage.

— Des projets, répète Morel.

Examinant son gendre des pieds à la tête il ajoute :

— Tu es évidemment en tenue de ville, mais... Tu pourrais me donner un coup de main ? Ces quatre rouleaux de laine de verre sont à monter dans la soupente du hangar, à côté. Tiens, voilà des gants.

Ils transportent les rouleaux un par un. Quand ils ont terminé, il fait pratiquement nuit dans le hangar. Une ampoule nue jette de grands seaux d'ombre dans les recoins.

— Seul, je n'y serais pas arrivé, souffle Morel.

Jean-Claude est en sueur, et couvert de poussière.

— Désolé, dit Morel. Bon, encore un petit effort ?

Désignant le plancher en mezzanine, il dit :

— Moi, je grimpe là-haut, et toi tu vas me passer les rouleaux en les faisant glisser le long de l'échelle. Ça ira ?

Jean-Claude lève les yeux. La soupente est à près de trois mètres de hauteur. Il ne voit vraiment pas comment ils arriveront à hisser ces satanés rouleaux comme ça, à bout de bras. « D'accord », fait-il docilement. *Dans la comédie humaine*, songe-t-il, *il y a des actes qui ne se préméditent pas.* De cette citation, il se souvient parfaitement. Léon Tolstoï. *Anna Karenine*.

Comme son voisin, Marcel Petit est un homme qui aime faire la cuisine. Veuf, lui aussi à la retraite, il reçoit parfois Charles Morel pour lui faire goûter ses desserts. Il est justement en train de préparer un beurre de vanille pour sa tarte aux poires quand on toque à la fenêtre. Levant les yeux, il aperçoit le visage partiellement masqué par l'obscurité du gendre des Morel. Il le connaît bien, le Jean-Claude. Un gars sympathique. Un grand docteur, à ce qu'il paraît, mais sans manières, très simple. Avec son épouse, la fille Morel, et leurs deux enfants, plus d'une fois il leur a donné des fruits de son verger.

Mais Petit est un homme qui n'aime pas être brusqué. Il prend donc son temps. Pendant que les coups redoublent sur le carreau, il s'essuie les mains sur son tablier et, dans un traînement de pantoufles, finit par aller ouvrir. On arrive, on arrive.

— Ben, vous en faites une tête, monsieur Jean-Claude ! Que se passe...

Jean-Claude a en effet l'air catastrophé. M. Morel a fait une chute, annonce-t-il. Il précise : hémorragie cérébrale... Vite, une ambulance !

— Les pompiers, ce sera plus rapide, suggère Petit.

Va pour les pompiers. Et en attendant, lui, le docteur, doit s'en retourner sans tarder auprès du malade. Du mourant, peut-être même.

Quand Marcel Petit, toujours en pantoufles, arrive dans le garage, il découvre Charles Morel allongé au sol. Agenouillé à ses côtés, son gendre est en train de l'examiner.

— Nom de Dieu ! C'est grave ?

— Il a perdu connaissance, répond Jean-Claude. Mais il réagit encore aux stimulations.

— L'ambulance ?

— Je les ai prévenus. Les pompiers, comme vous me l'avez demandé.

Morel à ce moment-là bouge un peu. Ouvrant brièvement les yeux, il murmure le nom de son voisin. Celui-ci penche la tête. Mais ce que dit le blessé est maintenant inaudible. Un filet de salive coule entre ses lèvres, puis sa bouche fait une bulle, rouge. Il s'évanouit à nouveau.

— Sa respiration est saccadée, constate Jean-Claude. Il lui prend le pouls. Hoche la tête avec gravité. Appuie ici et là sur la poitrine de son beau-père, pendant que Petit le regarde faire.

Tendant soudain l'oreille, celui-ci s'exclame :

— Les pompiers ! J'entends la sirène !

Déjà ? se dit Jean-Claude. Mais qu'attend-il alors pour aller leur faire signe, lance-t-il au voisin. Les chercher à l'entrée sans perdre une seconde, pour les guider vers le hangar ? Ne voit-il pas que la situation requiert la plus extrême urgence ?

À l'arrivée des secours, Charles Morel n'a toujours pas repris conscience. Jean-Claude se redresse :

— Je pense que nous avons affaire à un coma en stade 2, annonce-t-il d'autorité à celui qui lui paraît être le pompier en chef. Il réagit encore aux incitations douloureuses, poursuit-il, et les réflexes ostéotendineux sont abolis de façon symétrique. Mais il faut faire vite.

— Vous êtes de la famille ? lui demande le pompier.

Il répond qu'il est le gendre de Charles Morel, et précisant son identité (« *Docteur* Jean-Claude Welche »), ajoute qu'il souhaite monter à bord du véhicule de secours, si personne n'y voit d'inconvénient.

— Je vous en prie, docteur, répond le pompier. C'est une chance que vous soyez là.

— Fracture de la zone temporo-pariétale droite, annonce l'interne de garde en lui tendant la radio.

Jean-Claude la lève à la lumière et l'examine avec attention. Il acquiesce. Mais cette zone d'ombre, là, oui, n'indique-t-elle pas des épanchements sanguins dans l'espace sous-arachnoïdien? Lesquels, par définition, ne sont pas consécutifs à un traumatisme crânien.

— Vous comprenez? ajoute-t-il. L'hémorragie est donc antérieure à la chute, c'est même ce qui l'a provoquée: voilà pourquoi M. Morel est tombé!

— C'est possible, en effet, concède l'interne. Mais je préfère appeler le service de neurochirurgie. Je débarque, moi.

Jean-Claude pousse la porte de la salle d'attente où sont rassemblés la mère de Flo, son cadet Patrick – on attend l'aîné d'un instant à l'autre – et Étienne Dumez, prévenu par Florence. Les yeux rougis, elle est accrochée au bras de son ami.

— Alors? fait Étienne.

— Le coma est à présent en stade 3, avec une mydriase droite. Mais il présente des symptômes qui relèvent très certainement de l'hémorragie pré-traumatique. Selon l'interne, se croit obligé de préciser Jean-Claude, peut-être imprudemment, songe-t-il. Cérébrale ou méningée. Personnellement, il pencherait plutôt pour la seconde.

— Je me demande bien ce qui pourrait l'avoir déclenchée. Votre mari faisait de l'hypertension artérielle? demande Étienne en se tournant vers Suzanne Morel.

— Je ne sais pas, soupire-t-elle. Vacillante, elle agrippe l'épaule de Jean-Claude.

— Et toi, Florence, poursuit Étienne, tu sais quelque chose?

— Je ne crois pas.

142

Jean-Claude intervient : « Papy » ne leur a jamais rien dit sur son état de santé. Mais comme il le connaît, il ne croit pas qu'il leur aurait fait part d'un souci s'il en avait eu un. Il se souvient toutefois qu'il se plaignait de maux de tête dans l'après-midi. Pourquoi doit-il donc mentir, se demande-t-il. Aurait-il quelque chose à se reprocher ?

— Des maux de tête ? fait Étienne. Cela peut être un symptôme, en effet. À moins que...

Qu'il s'agisse d'un accident vasculaire cérébral ischémique, répondit-il. S'adressant au groupe, Jean-Claude explique : une athérosclérose des vaisseaux cervico-céphaliques, qui provoque une embolie cérébrale. Les causes peuvent être multiples, à cet âge... Et il confirme l'hypothèse de l'interne : pour sa part, il n'attribuerait pas non plus l'attaque à une chute fortuite, mais plutôt la chute à l'attaque.

— D'ailleurs, tu y étais, fait une voix. Tu peux nous dire ce qui s'est passé.

Jean-Claude se retourne. Un instant il a cru... Mais c'est Christophe, l'aîné, qui vient d'arriver.

Ils s'embrassent. Jean-Claude fait l'effort d'un sourire.

L'éclairage était trop faible pour que son témoignage soit absolument certain, dit-il. Selon le rapport qu'il a déjà présenté au petit groupe et qu'il réitère pour son beau-frère, il a entendu Charles Morel pousser un petit cri.

— Il était arrivé en haut de l'échelle. Il s'est immobilisé, comme un homme qui se serait pris une décharge électrique. Il est resté un moment suspendu dans le vide, et puis il a basculé.

— Ce qui confirmerait l'hypothèse d'une attaque, reconnaît Étienne.

— La question, intervient Christophe d'une voix sourde, c'est : est-ce qu'il va s'en sortir ?

Une chute de près de trois mètres, tête la première sur un sol en béton… Jean-Claude marque une hésitation. Ses yeux se dirigent sur Christophe, puis sur Florence et Patrick, et enfin sur sa belle-mère qui enfouit son visage dans son mouchoir.

Soutenant le regard d'Étienne, il dit d'un ton appuyé :

— Oui, il est possible qu'il s'en sorte.

Son ami lui fait signe qu'il a compris le message.

— Jean-Claude a raison, dit-il. Tous les espoirs sont permis.

D'ailleurs, renchérit aussitôt Jean-Claude, la communication avec le bloc de neurochirurgie a dû être établie à présent. Il ferait bien d'aller vérifier.

L'interne se trouve dans l'embarras.

— Le docteur Burnier a établi un diagnostic d'hématome extra-dural.

Il s'empresse d'ajouter :

— Je lui ai signalé votre hypothèse. Selon lui, les deux ne sont pas incompatibles, mais il estime qu'il faut trépaner.

Jean-Claude ferme les yeux. La trépanation. Il pense à sa mère, ce qu'elle a dû subir autrefois. Il n'ignore pas que l'opération se pratique toujours sur le trait de fracture, et en général sans anesthésie. Une vague de nausée lui monte à la gorge. Il rouvre les yeux.

L'interne ne s'est pas interrompu. « Il faut immédiatement placer le malade sous perfusion de mannitol à 25 % avant de le conduire en neurochirurgie. »

Il connaît la procédure, affirme Jean-Claude. Trou de trépan temporal antérieur gauche, caillots évacués au suceur... D'après la radio, s'il a bonne mémoire, le HED est volumineux. Alors, que l'on se dépêche, car chaque minute compte. Puis posant une main confraternelle sur l'épaule, il ajoute qu'il aimerait s'entretenir avec le chirurgien en question. Le docteur Burnier.

— Je vous en prie. Par ici, docteur.

Un nouveau rapport de campagne s'improvise dans la salle d'attente. Cette fois, « Papy » est passé à un coma de stade 4, avec mydriase bilatérale aréflexique, sans réaction au pincement ni respiration spontanée, annonce-t-il.

— Coma profond, traduit Étienne.

Tous retournent s'asseoir, accablés. Florence est prostrée, Mme Morel en larmes. Jean-Claude présente un visage défait. Il dit combien il est désolé, si sincèrement désolé.

— Mon Dieu, j'aurais peut-être pu faire quelque chose, avoir le geste qui... je ne sais pas...

Il s'interrompt, les lèvres pincées, les yeux humides. Ce n'est plus l'autorité médicale qui parle, maintenant, mais le mari aimant, le gendre dévoué, l'homme plein de compassion. Florence s'empare de sa main et la serre fortement, Étienne pose la sienne sur son épaule, Suzanne Morel et ses deux fils rapprochent leurs chaises, formant un cercle. Tous le consolent. Il a déjà tant fait pour eux.

Charles Morel meurt trois jours plus tard, sans jamais avoir repris connaissance. Officiellement, la « cause probable du décès » est imputée à la chute ; et celle-ci considérée par tous comme accidentelle.

Ils l'enterrent. Ils l'enterrent un samedi, dans le cimetière de Sévrier, sous un ciel couleur de cendres.

Il ne pleut pas. Combien sont-ils aux funérailles ? Une centaine, peut-être davantage, il n'est pas toujours facile d'estimer ce genre de chose, se dit-il.

Il y a l'odeur de la terre fraîchement retournée. Les paroles que prononce le prêtre et que personne ne retient jamais. Jean-Claude tient Camille par la main, Florence s'accroche à lui ; ils ont confié Hugo à François et Claudine qui, moins proches de la famille, sont restés à Prévessin. Les Dumez en revanche sont là, pas très loin, dans la foule. Christine Deschamps aussi ; elle a tenu à être présente aux côtés de Florence.

Ensuite, des voisins et des proches viennent chez les Morel, dans la maison d'où l'on voit le lac, l'hiver, quand il n'y a pas de feuilles aux arbres.

De la famille – les Welche, bien entendu, Anne-Marie et Aimé, Cécile et André, leurs trois enfants, les trois sœurs de Charles Morel, dont la tante Élisabeth, la veuve de l'oncle Georges ; d'anciens collègues de Morel, des amis ; quelques voisins – Marcel Petit, pas en pantoufles pour une fois, mais c'est lui qui a préparé les amuse-gueule et les petits fours de la collation qui doit succéder à la cérémonie.

Il y a des enfants, beaucoup d'enfants qui se sont vite lassés d'être sages et qui courent maintenant dans tous les sens. Que font là tous ces enfants, se dit Florence – et soudain Hugo, où est passé Hugo ? s'affole-t-elle, avant de se ressaisir, de regretter de ne pas l'avoir avec elle. Mais Jean-Claude a dit qu'il était trop petit, presque encore un bébé, il ne faut pas, on ne peut pas l'amener à un enterrement. À ce moment-là elle s'était dit qu'il avait raison, mais maintenant non, il lui manque trop, elle a mal, il le lui faut près d'elle, dans ses bras, c'est comme si elle ne l'avait plus, du tout, du tout.

C'est l'automne, il n'y a pas de feuilles aux arbres, le lac est couleur de ciel.

Jean-Claude est dans l'entrée, se tient droit dans ses vêtements de deuil, l'air ailleurs. Il tâte ses poches, comme s'il avait égaré quelque chose, des clés. Il n'a pas la moindre idée de ce qu'il doit faire, du comportement qu'il faut adopter. Et c'est ce qui le sauve.

Les uns et les autres ont fini par s'en aller. Il reste Mme Morel, dans la cuisine, en compagnie de Jean-Claude. Florence se recroqueville dans le fauteuil en velours vert du salon, enlaçant ses genoux comme on enlace quelqu'un, son amour.

De retour à Prévessin, Étienne passe à la pharmacie pour emmener François prendre un verre au Chat Vert, juste eux deux.

— C'était dur, dit-il. La veuve pleurait, on aurait cru une Sicilienne, comme dans les films. Florence, tétanisée. Elle te regardait, tu n'existais plus. Le regard qui passe à travers toi. Et tout à coup, elle éclate en sanglots. La gamine, Camille, la pauvre, n'y comprenait rien…

— Et Jean-Claude?

— J'étais à côté de lui pendant la messe : il a failli tomber dans les pommes. Jamais je ne l'ai vu comme ça. Un zombi. Au cimetière, j'ai bien cru qu'il allait remettre ça et basculer dans le trou!

Ils se regardent une seconde et partent soudain d'un grand éclat de rire nerveux. Puis ils se raclent la gorge, gênés.

— Ouf!

— Ça fait du bien, confirme François.

— Et dire que je l'ai charrié sur sa belle-mère, l'autre fois. Tu t'en souviens ? Que tes amanites étaient pour elle ?

— Je ne voudrais pas être à sa place : aux premières loges pour voir dégringoler le beau-père, dis-donc.

— Et ne rien pouvoir y faire, renchérit Étienne. Ce doit être terrible. Comme je connais Jean-Claude, il doit culpabiliser à mort.

16

La première fois qu'il a poussé la porte d'un sex-shop, c'était dans le IIe arrondissement de Lyon, où personne ne le connaîtrait. Maintenant, Jean-Claude y retourne régulièrement. Il a souvent une érection rien qu'en manipulant l'emballage des cassettes exposées sur le présentoir. Parfois il communique un numéro au grand Noir qui se trouve derrière le comptoir, lui tend un billet de cinquante francs, et s'enferme dans une cabine privée. Il se sent alors incroyablement bien, face à ces images de femmes qui se donnent, se font prendre et jouissent. Il est au purgatoire, c'est ici qu'il purge sa peine. Qu'il se sente bien ne l'empêche toutefois pas d'éprouver du désespoir – mais pourquoi ? il l'ignore. Ce désespoir viendrait-il justement de son bien-être ? Ou s'agit-il plutôt du désespoir d'être seul avec ces images ? Certains jours, il lui arrive même de pleurer en se masturbant, et les grosses larmes qui s'écrasent sur son sexe rigide ne sont pas des larmes de joie, ni de honte ; il ne se trouve pas seulement sale : il se fait pitié. Sa jouissance vient de sa compassion. Il s'aime à ce point.

Il lui arrive aussi d'en acheter, des cassettes. Les moins chères, celles qui, après avoir été mises en circuit, sont bradées. Un jour, il faudra qu'il en montre une à Florence. Pas tout de suite. Pas si tôt après des funérailles. Pas tant que Mamie est à la maison.

Son emploi du temps est chargé en ce moment. Des conférences, des séminaires de toutes sortes. Il lui arrive souvent de ne pas pouvoir rentrer le soir. À Lyon, il a découvert qu'un hôtel s'est ouvert rue Calmette, la rue de son ancien studio, en face de la fac. De la fenêtre, il a la même vue qu'autrefois. Le cœur serré, il regarde passer les étudiants : parmi eux, y en a-t-il qui, comme lui, ont greffé un masque sur leur visage ? Sur la petite table qui tient lieu de bureau, il étale ses revues médicales, ses ouvrages, et comme autrefois, il joue à être ce qu'il n'est pas.

Pendant ce temps, à la maison, Florence et Suzanne Morel se livrent une guerre sans merci. Elles s'entre-dévorent, maintenant que le père n'est plus là pour les séparer. Après le décès, la mère est venue s'installer à Prévessin. D'abord pour quelques jours, puis deux ou trois semaines se sont écoulées sans qu'elle se décide à rentrer chez elle. Cela fait cinq mois, à présent. Et tous les jours, la mère et la fille finissent par rejouer sur tous les tons le pathétique de leur existence et s'ouvrent les veines jusqu'aux sanglots. Sur la ligne de front, Camille et Hugo chantent à leur tour leur air favori, celui du caprice, avec son assortiment de vraies détresses et de hurlements qui, pour être faux, n'en sont pas moins assourdissants.

Jean-Claude se garde bien de faire l'arbitre. À Lyon, l'hôtel de la rue Calmette est devenu un refuge provisoire et clandestin. Auprès de Florence, de sa belle-mère, il a inventé des déplacements à travers la France entière, parfois à l'étranger, en Allemagne, en Italie, une fois même au Japon. Douze jours de tranquillité pratiquement sans quitter l'hôtel, de peur qu'on l'aperçoive dans la rue. L'impression qu'il a de mener une vie d'agent double n'était d'ailleurs pas pour lui déplaire, loin s'en faut. Gavé de télé, de bédés et de Petit Lu trempés dans du Coca, il a tenu le siège avec la seule préoccupation qu'il lui faudra, un de ces quatre, se mettre à surveiller sérieusement sa ligne.

Mais les meilleures choses ont une fin. Comme Florence n'ose pas demander à sa mère de reprendre ses cliques et ses claques et de retourner chez elle à Annecy, celle-ci finit d'elle-même par se lasser.

Il se fait une obligation de la raccompagner chez elle en voiture.

— Sans toi, Mamie, je ne sais pas ce que nous deviendrions.

17

Dans l'âtre de la cheminée, le feu salive sur une bûche encore humide. Sa belle-mère lui propose du café. Quand elle parle, elle lui souffle pratiquement dans la bouche. Elle exhale une odeur amère, qui semble remonter du tréfonds. Elle a maigri, elle s'est ratatinée. Il remarque qu'elle porte le même parfum que Flo. Jean-Claude se demande si cela a toujours été le cas.

— Voilà, nous avions à te parler de quelque chose.

Elle met trois gouttes d'une potion sur un sucre qu'elle écrase entre ses dents.

— Au nom de la famille Morel, ajoute-t-elle.

Cette solennité l'intrigue. Il se tient sur ses gardes. Elle continue :

— Je ne voulais pas en parler chez vous, pour que ça ne fasse pas toute une histoire. Mais voilà : nous avons décidé de revendre cette maison. Je sais que Florence l'aime beaucoup. Mais moi, toute seule ici, je ne peux pas. Et l'appartement d'Annecy me suffit amplement. L'idée est d'ailleurs de Christophe. Florence finira par être d'accord, quand il lui aura parlé. Toi aussi, tu peux la convaincre. Mais ce n'est pas tout...

Jean-Claude ne dit rien, attend. Écoute les phrases que sa belle-mère ne se lasse pas de débiter.

— Christophe suggère que l'argent de la vente te soit confié afin que tu le places pour nous en Suisse. Pour nous tous. Christophe a l'intention de monter une petite entreprise, mais pas dans l'immédiat ; en attendant, un bon placement est le bienvenu. Mais je pense aussi à l'avenir de mes petits-enfants. Tes propres enfants, Jean-Claude, ceux de Christophe. Et ceux que Patrick aura un jour, je l'espère.

Il aspire une petite gorgée de café, passe sa langue sur ses dents. Ce n'est pas encore le moment d'intervenir.

— Nous savons que tu as aidé Papy – l'histoire de la Mercedes, il nous en a parlé. Pour l'instant, cet argent est très bien où il est. Nous avons annulé le contrat de la voiture – l'assurance devrait prendre en charge la différence. Qu'en penses-tu ?

Sur le coup, il ne sait que répondre. Un nouveau miracle !

— Il peut leur rendre ce service, dit-il enfin.

La maison ne tarde pas à trouver un acquéreur. Jean-Claude accompagne sa belle-mère et son beau-frère chez le notaire.

À l'issue de la vente, ils se rendent dans un salon de thé d'Annecy.

— Nous te ferons parvenir le chèque dès lundi, dit Christophe.

Il secoue la tête. Pas de chèque, non. Ce genre d'opération, il ne peut l'assurer que si on lui remet du liquide.

Christophe fronce les sourcils.

— Et pourquoi ça ?

Mais Suzanne Morel pose une main décharnée sur le bras de son fils et dit :

— Jean-Claude a raison. C'était la même chose pour Papy.

Se tournant vers lui, elle ajoute :

— Tu es ce qui peut nous arriver de mieux en ce moment. Nous te faisons entièrement confiance, moi, Christophe – je ne sais même pas pourquoi je te dis ça. Et ce n'est pas la peine non plus de te dire combien nous te remercions.

À l'adresse de son beau-frère, Jean-Claude précise toutefois que les chèques laissent des traces. Ce que, pour d'évidentes raisons fiscales, il ne souhaite pas.

Christophe fait avec les lèvres une moue entendue.

— Bien sûr, dit-il en s'emparant de l'addition coincée sous le sucrier. Et ça, je m'en occupe.

C'est bien la moindre des choses.

18

Ce sont les araignées qui l'ont réveillé. Une, deux, puis trois et quatre, il les a vues apparaître sur le mur. Comme à chaque fois. Il y avait une mouche également, une grosse mouche bleue. Ce qui lui a paru étrange, au point justement de le tirer du sommeil, c'est que les araignées avaient le même corps bleu que la mouche, un bleu électrique comme celui des bleuets, un bleu de pierre précieuse. Elles n'en étaient pas moins repoussantes, les araignées et la mouche.

Mais elles étaient bleues.

Tout cela n'a aucun sens, se dit Jean-Claude.

Il est 4 heures. Ce n'est pas toujours à la même heure qu'il se réveille. Entre 3 et 5.

Il sait qu'il ne se rendormira pas. Il pense à son ami François. En faisant le tri dans son congélateur, le pharmacien s'est aperçu qu'il disposait toujours de l'amanite phalloïde mise de côté pour Welche. Et il lui en a reparlé, l'autre jour, après le ski :

— Je te préviens, je vais la jeter. J'ai pas envie que Claudine me mette ça dans la soupe !

Florence dort en faisant des petits bruits de gorge. Elle a dû prendre froid tout à l'heure, sur les pistes.

157

De la couette, seul son nez dépasse, et une mèche de cheveux. Il a soudain envie de l'embrasser, ce nez – l'embrasser, ou l'arracher ? Oui, c'est ça, l'arracher, se dit-il. Ce grand nez qu'il devine tout froid. Ce nez qui a tant besoin de moi.

C'est incroyable ce qu'elle dort bien, Florence. Parfois, il lui demande à haute voix de se retourner pour qu'il puisse se lover contre ses fesses, et elle s'exécute sans se réveiller. Juste un grognement. Le miracle du sommeil. Entre eux, il reste de la tendresse.

Maintenant il ne bouge pas, ne dit rien. Les souvenirs de la journée lui font une camisole de barbelés. Des tessons à pleine bouche.

— Papa ! dit Camille. Papa regarde !

Il ne la voit pas.

— Papa, papa ! et lui ne voit pas sa fille, ne réagit pas.

Mais François, lui, s'en est rendu compte. Jean-Claude le sait. Il l'a su au moment précis où cela s'est produit : la même impression de paralysie que maintenant, ce détachement de la réalité. Ce vertige.

Tout avait commencé avec l'histoire du coup de téléphone. Étienne avait décidé d'organiser une virée à ski, afin que Florence et Jean-Claude puissent prendre l'air. « Surmonter le deuil pathologique », comme dit Étienne.

Étienne avait décroché son téléphone pour appeler Jean-Claude à son bureau, à Genève. Ce qu'il n'avait jamais fait auparavant, pour la simple raison qu'il n'aimait pas déranger les gens sur leur lieu de travail. Étienne n'avait d'ailleurs même pas son numéro.

— J'ai dû passer par les renseignements internationaux, puis le standard de l'OMS. C'est te dire que je tenais à te joindre, J.-C. ! lui expliquera-t-il par la suite.

Il appelle donc.

La réceptionniste le met en attente.

— Je ne sais pas si tu étais en conférence ou quoi, mais j'ai poireauté plusieurs minutes. Déjà que le téléphone, ça m'exaspère ! Alors j'ai raccroché.

Il a bien fait, lui dit Jean-Claude. C'est une vraie galère pour le joindre au bureau. Florence le lui confirmera : quand elle cherche à l'appeler, c'est uniquement sur son portable. D'ailleurs, elle non plus n'aime pas lui téléphoner dans la journée. Il aime autant : il est si peu disponible…

Ce jour-là, tout aurait pu se terminer, songe-t-il en écarquillant les yeux sur les murs qui dans l'obscurité font comme une grande toile d'araignée. Il est facile de deviner ce qui s'est passé : la réceptionniste a cru qu'Étienne voulait parler au Dr Walter Welche. La chance a voulu que son homonyme n'ait pas été immédiatement joignable. Il ne pourra pas toujours compter sur des circonstances aussi favorables.

Dehors, les sapins se taisent. Il n'y a pas de vent, ce soir. La rue est paisible. C'est ce calme, qu'il ne supporte pas.

Soudain, le vertige le reprend. Il revoit ce temps suspendu, cet instant qui sépare si clairement l'avant de l'après : la chute de Charles Morel. Vertige de l'inéluctable. De sa toute-puissance autant que de son impuissance. « Papy ! », crie-t-il en silence, comme il avait crié ce jour-là à Sévrier. Est-ce ce cri qui a imprimé au visage du vieil homme son masque de mort, ou est-ce ce masque qui avait déclenché le cri de Jean-Claude ? Quand Morel se retourne et tombe, il est évident qu'il s'est passé quelque chose de terrible, ou que quelque chose de terrible va se produire enfin, lorsque le corps s'écrasera au sol. Mais Jean-Claude n'arrive pas à se décider : a-t-il été réellement responsable de cette chute, ou simplement son spectateur accablé ?

Malgré ses efforts, il ne parvient pas à s'en souvenir. L'a-t-il tué ? Rien à faire. Il ne sait pas, ne sait plus. La vérité.

Dans sa tête, les pensées se déchaînent. Pourquoi Florence a-t-elle dit tout à l'heure à Étienne qu'elle avait l'impression de vivre avec un espion ?

— Tu travailles pour les Russes ? avait renchéri Étienne.

Se doutent-ils de quelque chose ? La conversation s'était tenue sur le ton de la plaisanterie, mais cela ne prouve rien. Une conspiration peut-être : ils cherchent à le pousser à la faute. Par des allusions, ils tissent leur toile.

Mais non.

L'échelle. Peut-être qu'il a simplement tiré l'échelle sous le pied de Morel, après tout. Un homme aux abois est capable de tout, se dit-il.

Et tout à l'heure, au ski, ce vertige effroyable qui l'a saisi en haut de la piste. Il n'avait jamais connu ça auparavant. Tout le monde était étonné, d'ailleurs : Jean-Claude a toujours été le meilleur skieur de la bande. Mais comment leur expliquer que c'était à cause de Papy ?

Il se lève. Il fait froid hors du lit. Il enfile ses pantoufles et se dirige à pas feutrés vers la chambre des enfants. La porte est entrebâillée, toujours, pour qu'ils n'aient pas peur dans le noir. Un rai de lumière les éclaire. Il les regarde dormir, petits corps entortillés de couvertures.

— Mes enfants, dit-il à voix basse, juste pour lui. Mes enfants.

Il se sent mieux, maintenant. Il a envie de pleurer.

Le front de Camille, sur lequel il dépose un baiser, est chaud. Celui de Hugo également. Mes petits pains, se dit-il. Mes petits pains chauds de l'aube. C'est de la vie qu'il a sous les yeux, sa création. Celle de son amour pour eux, de son amour pour Florence.

Mais ce n'est pas vrai. C'est le reste qui est sa création, tout le reste abject de son existence, mais pas eux, pas elle! Mon Dieu, songe-t-il, quelle vie leur ai-je donnée? Si seulement il pouvait tout recommencer. Tout effacer, depuis le début!

Il sait que cela n'est pas possible. Tout, sauf ça. Les enfants. Il ne peut pas. Recommencer.

Il retourne se coucher en frissonnant. Et dans son lit, pourtant chaud au contact de sa femme, il continue à trembler. Dehors, il s'est mis à neiger. Ce sera tout blanc, se dit Jean-Claude. Il se rappelle soudain qu'il a décidé d'avoir la neige en horreur. L'hypocrisie de la neige, qui embellit le monde comme un mensonge. Mais la neige finit toujours par se transformer en boue, sa vraie nature.

En examinant la nuque blanche de sa femme, il songe à sa mère. Cette nuit n'en finira donc jamais? Une scène lui revient à l'esprit. Il est enfant, dans la voiture de ses parents. À l'arrière. Il a un peu la nausée. À l'arrière des voitures, il aura toujours un peu la nausée.

Ses parents se chamaillent parce que sa mère n'arrive pas à trouver ses médicaments. « C'est toi qui les as », dit-elle à son père, mais lui : « Non, ça m'étonnerait, c'est toi, regarde encore dans ton sac

161

à main, tout au fond, tu sais bien qu'ils tombent toujours tout au fond » et, effectivement, elle les trouve dans son fouillis de sac à main noir en fausse fourrure – ils doivent se rendre à une fête, une soirée plutôt formelle sinon elle n'aurait pas ce sac-là, qui lui évoquera toujours une vilaine bestiole, un gros rat ; elle plonge la main dans le ventre du rat et en sort les médicaments : « Je le savais qu'ils étaient là, je te l'avais dit ! », « non tu ne m'as rien dit du tout », le rat referme sa gueule dans un petit déclic. L'enfant à l'arrière de la voiture a la nausée, ne se sent pas bien, franchement pas bien du tout, il ne peut pas ouvrir la vitre parce que son père ne supporte pas le courant d'air, la nausée en une lente vague montante, jusqu'au trait rose de ses lèvres. Il se retient pourtant de vomir. Vomir, ce serait pire que tout. La nausée, on peut faire semblant de ne pas l'avoir. Il suffit de se taire.

Il se souvient. Ça n'arrête pas de se souvenir en lui. Sa mère porte un bonnet sur la tête, qu'elle a crocheté elle-même. De l'angora. On dirait qu'un chat a pris place sur sa tête. Le chat lorgne vers le rat, on sent qu'il n'est pas rassuré, le rat, s'il le voulait le chat n'en ferait qu'une bouchée. Sa mère est chaudement enveloppée d'un ensemble en laine également crocheté par ses soins, parce qu'elle crochète sans arrêt, sa mère. Au plus profond de sa dépression, elle crochète. De toute son enfance, il ne l'a vue faire que ça. Crocheter.

Toute cette laine, ça lui donne aussi la nausée. Des années plus tard, il a eu envie de se masturber avec. Dedans. Souvenirs : ça n'arrête pas de venir sous lui.

À la maison, après la mort de Bobette : crochet. Quand ils regardaient la télé, tous les trois, au salon.

162

Le dimanche. Il ne s'est jamais senti vraiment à l'aise, avec ces deux-là, sa mère et son père. En permanence le sentiment d'être épié. Une conspiration, déjà. Pour le pousser à la faute, déjà. Pourtant il n'avait encore rien fait.

Soleils rouges des yeux fermés, écrasés, serrés à en faire péter les globes à l'intérieur de lui-même. Après la mort de Bobette il y a eu ce jour où il a cru, réellement cru qu'un homme se cachait derrière les rideaux. Ou sous l'escalier, au moment de regagner sa chambre. Et soudain dans l'encadrement de la porte : un bras. Un bras d'homme, brandi comme un sexe. Et puis en s'approchant, finalement non, rien. Personne. Comme à chaque fois.

Après la mort de Bobette : le soir seul dans sa chambre, il a peur que la maison profite de son sommeil pour le dévorer. Ensuite une lente digestion, dans ce ventre de maison. Et des années plus tard, quel soulagement il éprouvera au moment d'en sortir, lorsque enfin il referme derrière lui la lourde porte du jardin, qu'il la verrouille même, pour ne pas être suivi, et que, se retournant, il se trouve face au vent, au ciel, au monde. Enfin dehors ! Un bref instant, il perçoit encore derrière lui le souffle de la baleine dont il vient de s'extraire. Puis il part, laissant derrière lui ses fantômes, libre – provisoirement libre, parce qu'il sait bien qu'il est condamné à y revenir toujours.

Tout lui revient. C'est comme de vomir ces tessons, maintenant. Longtemps, il s'est convaincu que ses insomnies servaient à quelque chose, une sorte d'exutoire, un lavement de la conscience. La pornographie de ses insomnies, cet autre purgatoire.

Il sait désormais, avec une certitude chaque nuit accrue, que cela ne sert en réalité à rien. Qu'il est perdu. Un jour ou l'autre. Pris dans la toile. C'est comme ça, se dit-il, c'est inévitable.

Ce soir, pour la première fois, en fermant les yeux il voit apparaître un homme vêtu de noir. Lentement, cet homme monte l'escalier qui conduit aux chambres. Celle des enfants, la leur. Cet homme qui pourrait tous les tuer.

L'insomnie s'achève quand le cauchemar de la journée prend la relève. Cela ne s'arrête pas, cela ne s'arrêtera plus. Pour Pâques, la famille se retrouve cette année à Belvaux, dans la grande maison de l'oncle André et de la tante Cécile. Après le repas, celui-ci l'a pris à part pour lui demander comment allaient leurs petites affaires.

Tout va très bien, a répondu Jean-Claude d'un ton un peu trop brusque. Pourquoi? Souhaite-t-il un rapport de son compte, peut-être? Ou récupérer son argent?

— Jean-Claude! Je voulais simplement savoir...

Mais il s'est ressaisi. En ce moment, explique-t-il doucement, la conjoncture est plutôt propice, pour gonfler la cagnotte.

— Je m'en doutais, dit l'oncle avec soulagement.

Puis il entraîne son neveu dans le garage où reposent, sur des cales, plusieurs véhicules dont la réparation a été interrompue pour le week-end. Jean-Claude, qui cette nuit encore n'a pas dormi, tangue entre les voitures.

— Qu'est-ce que tu as, mon garçon? lui demande son oncle en lui remettant quarante mille francs supplémentaires.

19

« Un signe de vie, mon ange ? » Seule dans son lit, ce matin Florence pense à son père. Quand elle était petite, c'est lui qui venait la réveiller. Il caressait sa main blanche posée sur le drap, et lui chuchotait sa question : « Un signe de vie, mon ange ? »

C'était leur jeu ; elle faisait semblant d'être morte, il insistait doucement, elle répondait par un mouvement des lèvres, un geste du petit doigt tout en gardant les yeux fermés. Il lui redemandait (parfois sur un ton plus pressant, partagé entre les contraintes de la journée qui l'obligeaient à se hâter et le plaisir de faire renaître, dans ce glissement progressif, sa fille) :

« Mon ange ? »

Elle fronçait alors le nez, comme la sorcière de la télé, et, les paupières toujours closes, se réjouissait du petit rire qui sortait de la bouche chaude de son père ; il savait qu'à présent il pouvait lui déposer un baiser dans le cou.

Le contact de ses lèvres sur sa peau chaude la faisait frissonner, et ces frissons, partis de l'épiderme pour résonner dans le caisson de son corps arqué, les reins creusés pour faire violon, l'obligeaient à écarquiller les yeux dans un grand éclat de rire. Pour l'enfant qu'elle était, cet échange, ce va-et-vient électrique de son père à elle culminant dans la joyeuse explosion du rire, c'était « faire l'amour ».

La sensation du baiser lentement se dissipe. Un instant encore elle cherche ces bras immenses qui la soulèveraient, la feraient tourner en l'air comme un avion, avant de la redéposer, redevenue princesse, sur les draps ; elle cherche cette belle voix grave qui, faussement grondeuse, lui dirait qu'il faut maintenant se dépêcher ; elle n'aimait pas se dépêcher, voulait qu'il reste contre elle et le garder pour elle, rien que pour elle, toujours, elle s'accroche aux derniers lambeaux de rêve, mais sait déjà que derrière les images, en elle il n'y a que le vide. Soudain, juste avant d'ouvrir les yeux, une phrase s'affiche dans son esprit, lumineuse : Papa n'est pas mort par accident.

Florence se redresse. Quelqu'un prépare le petit déjeuner dans la cuisine. Sa mère. Elle ne rêve pas : sa mère est bien chez eux, une fois de plus.

Pas mort par accident, songe-t-elle en se levant. C'est écrit là, s'il était possible de s'enfoncer une main dans la tête, elle pourrait y saisir la phrase, l'exciser, et l'interpeller : d'où a bien pu lui venir cette idée ? Si son père n'est pas mort par accident, alors quoi ? Jean-Claude doit rentrer de Paris cet après-midi, par le vol de 16 heures. Elle lui en parlera. Elle repense à l'hypothèse qu'il avait formulée : l'hémorragie avant la chute. C'est donc ce qu'il voulait dire ?

Sa mère a déjà commencé à manger, sans penser à réveiller les enfants. Bouche ouverte, elle mâche des *corn flakes.* Et depuis quand aime-t-elle les céréales au petit déjeuner ? « C'est bon pour la ligne, affirme-t-elle. Bon pour le transit, aussi. C'est marqué sur le paquet. » Eh bien, qu'elle en bouffe.

Florence est, quant à elle, en « crise alimentaire », comme dit encore sa mère. Plus rien ne lui fait envie, surtout pas les fruits frais, la salade, le lait. Les conserves, passe encore. Mais le reste, ce qui est cru, elle a peur que ça continue à vivre en elle. Quand elle en parle à Jean-Claude, il se contente de sourire, de dire comme toujours qu'il n'y a pas de problème, que tout s'arrangera. De toute façon, avec tout le travail qu'il a en ce moment, elle voit bien qu'il n'a pas la tête à ça.

— Camille a encore fait pipi au lit cette nuit, lui annonce sa mère.

Toujours ce ton de reproche.

— Ta fille fait des cauchemars, tu sais. Elle m'a réveillée. Je lui ai demandé ce qui se passait et elle m'a dit qu'une grosse bête venait la dévorer.

Florence est exaspérée.

— Et en plus elle ment, poursuit sa mère. Elle vole, et elle ment. Tu sais mon collier de perles, celui dont tu n'as pas voulu quand je te l'ai offert ? Je croyais l'avoir perdu – et bien, je l'ai retrouvé dans ses affaires. Et c'est la grosse bête de la nuit qui a fait ça ! Une gamine de cinq ans ! Je me demande de qui elle tient ça.

— Maman !

Mais elle ravale sa colère.

— Depuis quand fouilles-tu dans nos affaires ? dit-elle les dents serrées.

La journée se déroule dans ce climat de guérilla, mais les deux femmes sont parvenues à un cessez-le-feu lorsque Jean-Claude rentre, en début de soirée, les bras chargés de cadeaux. Il s'étonne du silence qui règne dans l'appartement. Demande ce qui se passe.

— Rien, fait Florence en se levant du canapé où elle avait allongé sa migraine. Maman aimerait rentrer à Annecy.

— C'est les nerfs, mon Jean-Claude. Au printemps, nous sommes toutes un peu fatiguées… Mais toi, tes conférences se sont bien passées ?

Bien passées, confirme-t-il. Son visage indique tout à la fois la certitude et la modestie de son accomplissement. Mais qu'elles regardent plutôt ce qu'il leur a ramené. Une poupée Barbie pour Camille, une petite voiture pour Hugo, un foulard à sa femme, un collier à sa belle-mère. Le quatrième foulard en un mois. Florence regarde son mari en se disant qu'il ne s'en rend même pas compte. Et le collier. Il aurait au moins pu faire un effort, cette fois.

Elle demande des nouvelles de Christine. Ses enfants, avec cette procédure de divorce que Jean fait traîner en longueur. Et le cabinet dans lequel elle travaille depuis qu'elle s'est installée à Paris.

Jean-Claude profite de ces questions pour lui annoncer qu'il doit y retourner, dès la semaine prochaine. Trois jours. Mais maintenant, une bonne douche. Et ensuite, il les emmènera au restaurant. Ça leur changera à tous les idées !

Il fait chaud en ce mois de mai. « On se croirait en été », dit Christine en lui ouvrant la porte. Cette fois, Jean-Claude est passé la chercher chez elle. Il tenait absolument à dire bonjour aux enfants, lui a-t-il dit au téléphone. Il s'est présenté avec un bouquet de roses, couleur champagne.

Elle paraît heureuse de le voir. Elle porte une robe d'un bleu intense qu'il ne lui connaît pas – il ne peut tout de même pas connaître toutes ses robes ! Pas encore, se dit-il en l'embrassant sur la joue. Son parfum, il le reconnaît. Légèrement fruité, avec une touche de vanille. Penser à demander la marque. Ou repérer le flacon dans la salle de bains.

— Les enfants sont dans la chambre avec Pam, dit-elle. Suis-moi.

Elle en profite pour lui montrer l'appartement. Un quatre-pièces spacieux, haut de plafond et lumineux. Parquets recouverts de tapis, cheminées en marbre, moulures... Jean-Claude est admiratif : le loyer ne doit pas être donné...

— C'est plus cher qu'à Ferney. Et Ferney n'était déjà pas bon marché... La chambre de Pam – ma fille au pair.

Elle désigne une autre porte :

— Ma chambre...

Flo adore visiter les appartements, affirme-t-il. Elle n'aurait pas rechigner à voir le sien.

— La prochaine fois qu'elle t'accompagnera... Et la chambre des enfants.

Sur un signal de la fille qui s'occupe d'eux, ils se tournent vers la porte. Ils ne nous ont même pas entendu venir ? se demande-t-il. Émilie doit avoir neuf ou dix ans. Elle porte un appareil à l'oreille. Victor paraît un peu plus jeune, lui aussi est affligé d'un appareil. Il est vêtu de son costume de Louveteau – Christine lui a dit qu'ils avaient assisté en début de soirée à une messe scout. Il sourit, et songe : tout de même, ça fait un drôle

169

d'effet, ces deux enfants handicapés, moi je n'aurais pas supporté.

Et voilà qu'ils me dévisagent à présent. Dans leurs yeux de sourds, il lui semble lire une acuité accrue. Mais est-il exact que les sourds voient mieux à cause de leur surdité ? Et si ces deux-là pouvaient voir à travers son masque ?

Pour les salutations, il choisit Victor, supputant qu'il doit être le moins malentendant des deux puisqu'il est chez les scouts. Campé bien en face de lui, les genoux pliés afin d'être à la hauteur du garçonnet, il articule, en détachant distinctement chaque syllabe, tout en s'efforçant de ne pas élever la voix – ce qu'il serait tenté de faire malgré lui :

— Bon-soir, Vic-tor. J'é-tais Lou-ve-teau moi-aussi, tu-sais.

C'est pénible. Non, franchement. Il avait même un brevet, explique-t-il en bégayant. Se-cou-ris-teu.

— Et toi, as-tu un bre-vet, Vic-tor ?

L'enfant répond par une sorte de beuglement, mais le sourire qui illumine son visage indique qu'il a compris.

— Bravo Jean-Claude, dit Christine. J'ignorais que tu savais t'adresser aux malentendants. D'habitude, les gens se contentent de hurler ! Et tu t'es placé bien en face de lui, ce qui lui a permis de capter parfaitement les sons.

Il se redresse. C'est vrai ? Il ne savait pas. Il s'est exprimé ainsi spontanément, dit-il.

Il s'approche d'Émilie, se contente de prononcer son nom. Elle aussi répond par un sourire.

Ils sont adorables, constate-t-il.

— Victor a effectivement décroché un brevet, dit Christine. Orientation en forêt. Aussi incroyable que cela puisse paraître, il est très doué pour retrouver son chemin, et celui de ses petits camarades. Pas vrai, Victor ?

Un grognement joyeux.

— Émilie est atteinte d'une surdité plus profonde. Elle suit une technique très particulière de lecture labiale et d'articulation qui lui permet de suivre un cursus scolaire normal. L'école qu'elle fréquente est unique en France.

Il est sur le point de demander s'il s'agit de l'institution fondée en 1763 par l'abbé de l'Épée, mais se ravise : il n'est peut-être pas censé avoir potassé un manuel de surdité avant d'emmener dîner la meilleure amie de sa femme.

Ils se rendent dans un élégant restaurant ouvrant sur un jardin privé où glouglloute une fontaine. « Je ne connaissais pas cet endroit, s'extasie Christine. On se croirait en vacances ! »

Elle commande une coupe de champagne ; il se contente d'un jus de tomate.

— Je sais comment tu t'y prends avec les femmes, dit-elle. Tu les fais boire !

Au cours du repas, ils parlent de leurs passions respectives. Elle évoque Van Gogh et Mozart, lui répond avec un petit sourire gêné en avouant son faible pour les gadgets électroniques, la bande dessinée et les romans policiers. Ah, et les romanciers russes du XIXe siècle, et la philosophie… Il hésite : ainsi que la photographie. « Le nu », précise-t-il en rougissant. Il ajoute qu'il est bien entendu parfaitement inculte. Par manque de temps, certainement, et parce que la vie de province n'est guère faite pour se cultiver.

— Pourquoi dis-tu cela ? le reprend-elle. Je fréquentais bien davantage les musées avant d'être à

Paris – peut-être parce qu'ici j'ai moins de temps à moi ? En tout cas, cela demande un peu de discipline... Et puis, ne dis pas que tu es inculte. Ce n'est pas vrai : je ne supporterais pas de dîner en compagnie d'un homme inculte... Et j'aime beaucoup le nu en photographie.

Dans ce cas, enchaîne-t-il, peut-être devraient-ils aller voir des expositions ensemble ? Il est plus facile de faire un effort quand on le partage, non ?

Elle accueille la suggestion avec enthousiasme.

— J'avais un oncle ingénieur en chimie, dit-elle, toujours plongé dans ses équations. Pour se changer les idées, il allait au Louvre et il écoutait... Rika Zaraï !

Et lui, Serge Lama !

Ils éclatent de rire.

— Un concert à Pleyel de temps à autre ne te fera pas de mal, dit-elle.

Il approuve de la tête. Puis il dit : « les enfants... », et ramène la conversation sur le terrain de la surdité. Il dispose d'une information qui peut l'intéresser, dit-il. Dans l'avion, il a parcouru quelques pages d'une encyclopédie médicale à l'usage de la famille – rien de bien pointu, mais il se trouve qu'il connaît les auteurs.

— Le Dr Lyonel Rossant et sa femme, Jacqueline Rossant-Lumbroso.

— Rossant ? Ça ne me dit rien, fait-elle.

— Un couple fascinant. Nous pourrions les rencontrer.

— Pourquoi pas ?

Connaît-elle l'histoire du fils de Crésus ? se hâte-t-il d'ajouter.

Elle secoue la tête.

Une histoire écrite par Hérodote, cinq siècles avant Jésus-Christ… Crésus, le richissime roi de Lydie, a un fils cadet. Celui-ci est privé de l'ouïe, et muet. Crésus le rejette…

— Comment s'appelle-t-il, le fils ? demande-t-elle.

Justement : il n'a pas de nom. Infirme, c'est un fils maudit. Jusqu'au jour où il sauve son père près de mourir sous la lance d'un soldat. Le fils muet fait alors éclater sa voix en criant :

— Homme, ne tue pas Crésus !

Et dès lors son fils parla.

Ils se regardent en silence pendant plusieurs secondes.

— Et on ne connaît toujours pas son nom ? dit-elle enfin.

Non… Il ne s'attendait pas à cette question.

— Cela ne fait rien. C'est une belle histoire, dit-elle doucement, en accompagnant du doigt la larme qui s'écoule le long de sa joue. J'aime quand tu me racontes des histoires, j'ai l'impression d'être une petite fille.

20

Pardon, il lui demande pardon. Il l'aime, il est désolé de le lui répéter. Ses grands yeux écarquillés transpirent. Il retire ses lunettes et se frotte le visage. Pardon, répète-t-il encore et encore. Il n'est qu'un misérable!

Décontenancée, elle a un mouvement de recul.

— Et Florence?

Jean-Claude soupire. Ils vont se séparer, Florence et lui. Ils ne s'entendent plus…

— Vous séparer? Toi et Florence! Mais pourquoi?

Sous l'effet de la surprise et de l'indignation, son visage s'est empourpré.

— Ce n'est pas à cause… de moi, j'espère!

Il répond par un faible sourire. Non, le boulot. Il va être obligé de passer beaucoup plus de temps à Paris. Florence ne l'accepte pas, elle ne comprend pas combien la recherche médicale compte pour lui. Il ajoute, penaud:

— Cela ne te fait donc pas plaisir que je sois désormais plus souvent sur Paris?

Elle le fixe un instant, puis détournant les yeux, secoue lentement la tête. Il aurait pu choisir un autre endroit que cet élégant restaurant pour s'épancher.

— Je n'y comprends rien. Bien sûr, que ça me fait plaisir de te savoir à Paris. Mais tu te rends compte de ce que tu m'annonces là ? Votre séparation ! Comment pourrais-je m'en réjouir ? Et les enfants !

Les enfants ? Bon sang, il aurait dû y penser. Les enfants, bien sûr. Christine ne pouvait pas laisser passer ça.

Ils seront avec Florence, dit-il. Lui aussi s'occupera d'eux, bien entendu. Ils seront très attentifs à leur bien-être, très attentionnés, très… Qu'elle ne s'inquiète donc pas pour les enfants. Bien sûr, c'est important, les enfants, il le sait, il y pense sans arrêt, aux enfants. Mais ils ont beaucoup réfléchi tous les deux, Florence et lui, beaucoup discuté et, en fin de compte, sont convenus que leur séparation était encore ce qu'il y avait de mieux pour eux. Pour les enfants.

— Je n'en suis pas si sûre.

Jean-Claude rechausse ses lunettes. Tapote la main de Christine, d'un geste à présent fraternel.

— Fais-moi confiance.

Lui adresse un sourire de commisération : il ne voulait pas l'attrister. Mais sur ce, peut-être vaudrait-il mieux y aller. Prendre un peu l'air.

Il se présente à nouveau chez elle quinze jours plus tard. « En coup de vent. » Il a un cadeau pour elle, explique-t-il, et lui présente une bague en or sertie d'une grosse émeraude, de chez Victoroff, place Vendôme.

— Je ne peux pas accepter ça, voyons ! Tu perds la tête !

Jean-Claude insiste, l'écrin ouvert dans sa main. Lui demande de l'accepter simplement comme un geste d'excuse pour sa déclaration de l'autre soir.

— Je te la pose là, sur la commode. Tu la regarderas plus tard. Et tu peux en faire ce que tu veux.

— Jean-Claude.

Elle secoue la tête, roule des yeux comme pour le gronder.

— Tu es complètement fou, dit-elle doucement.

Un peu trop doucement. Elle se ressaisit :

— Pas question. Je ne peux pas...

— Mais si.

Il pose la main sur le bras de Christine. Un geste ferme, à la fois affectueux et déterminé.

— Je me sauve.

Elle baisse les yeux, et secoue encore la tête.

— Jean-Claude...

Mais il est déjà parti.

Jean-Claude a déniché un petit hôtel confortable près de chez elle. En ce début du mois d'août, alors que Paris n'est plus peuplé que de touristes, ils se voient presque tous les jours.

Mais Christine lui résiste toujours. Elle est montée voir le lit à baldaquin, elle s'est assise sur l'édredon pour en éprouver le moelleux, et puis elle s'est relevée pour aller admirer la salle de bains. Il n'a pas osé l'embrasser.

Il tente de conjurer le sort par la masturbation. Se masturber ferait inconsciemment venir la femme à l'homme, selon un récent numéro de la *Revue de sexologie*. Une question de vibrations, paraît-il, d'énergies libérées, qui les attirent. À moins que ce ne soit l'inverse ? Le magnétisme hormonal, l'attirance par l'abstinence... Testant cette autre solution, Jean-Claude se contente de regarder son sexe grossir sans le toucher, sinon pour les fonctions d'élimination et d'hygiène, pendant deux ou trois jours d'affilée. La semaine s'achève sur un nouveau constat d'échec.

C'est à Bourgoin, faubourg de Lyon, qu'un soir ils se retrouvent. Christine a déposé les enfants dans la Vienne, où son mari possède une maison de famille. Elle a accepté d'y passer la nuit, et comme à chaque fois, la soirée a été exécrable.

Jean-Claude lui a donné rendez-vous dans un hôtel en bordure de la nationale. Ils dînent à la terrasse du restaurant. Il fait lourd, l'air sent la poussière, peut-être l'orage. Ils parlent d'eux. Elle de sa solitude, lui de son enfance.

Elle est la seule à boire le Tavel qu'ils ont commandé. Dans cet endroit minable du cœur de l'été, un samedi soir de fin du monde, d'une voix de Lolita allumée elle lui déclare :

— Vous m'avez fait boire, vilain monsieur. Auriez-vous une idée derrière la tête ?

Il commence par les omoplates, pour se donner un peu de temps. « Ça va aller, se dit Jean-Claude, ça va aller. » D'une main, il entreprend de se déshabiller, pendant que l'autre continue le massage.

Il enlève ses lunettes, pour ne pas se voir. Un corps de grenouille, songe-t-il. Ce qui le rassure, c'est que son sexe a fini par se dresser. Une belle érection. Mieux que dans nombre de ses films.

À califourchon sur son dos, il lui caresse les fesses. Puis il les sépare, contemple le trou fripé, cette bouche qui frémit, cet œil qui cligne, ce monde qui commence, ou se termine. Il n'a jamais fait ça comme ça. Il songe tout à coup qu'ils ne se sont même pas embrassés. Tant pis. Sa main glisse le long de la fente, ses doigts écartent de nouveau les fesses, cette fois il plonge son sexe en elle, quelque part, où au juste il ne saurait le dire. Elle se cabre, mais cela non plus ne veut rien dire.

Il éjacule très vite, et se retire aussitôt. Il aurait dû rester, ne pas être si lamentable. Il cherche quelque chose pour s'essuyer, ne trouve que le drap, n'ose pas s'en servir. Il n'ose pas davantage l'abandonner pour aller pisser, ce qui est pourtant son besoin le plus urgent à présent. Au lieu de quoi, il l'embrasse dans le cou. Mais il sent qu'elle se crispe, qu'elle ne veut plus de lui. Qu'elle a des regrets. D'avoir trop bu, ou d'avoir eu recours à ce prétexte. D'être malheureuse, surtout.

— Maintenant on dort, annonce-t-elle.

21

Florence est ravie.

Sept mille francs par mois de loyer, précise Jean-Claude. Cela devrait leur plaire. Prête pour une petite visite ?

La maison en location proposée dans les petites annonces du *Dauphiné libéré* se trouve à l'angle de la route d'Ornex et de la route de Bellevue, à Prévessin-Moëns, juste à côté de Ferney-Voltaire.

— On se rapproche d'Étienne et Anne, constate Florence. Les Dumez ont déménagé au printemps.

Ils passent devant en voiture, avec les enfants. Ses volets à croisillons donnent à la bâtisse un air de fermette. Située directement en bordure de la route, elle est nettement moins élégante que les villas du voisinage avec leurs vastes pelouses bien entretenues. Mais Florence trouve la maison parfaitement à son goût. L'arrière ouvre sur un potager, actuellement en friche, et au-delà s'étend un verger où le propriétaire a installé la caravane qu'il occupe chaque année pendant une semaine ou deux, a-t-il prévenu au téléphone, en période de récolte. Dans le pré adjacent broutent deux poneys. Camille et

Hugo battent des mains. Jean-Claude signera le bail dès le lendemain.

M. René, le propriétaire, est un homme d'une soixantaine d'années qui sent l'alcool dès 11 heures du matin. Le fait d'avoir affaire à un *docteur* l'impressionne et lui donne honte de son haleine. Son futur locataire ne présente ni fiches de paie ni déclarations fiscales ? « Tant que j'ai mon chèque au début de chaque mois, ça me va. » Un clin d'œil appuyé : « De toute façon, la maison appartient à ma femme. » La seule contrainte, c'est cette caravane.

— J'y vais pas seulement aux coings, dit le propriétaire en proposant un coup de gnôle pour fêter la signature du bail – que Jean-Claude refuse de la main. Le pré. Je fais aussi le foin pour mes lapins.

Après le déjeuner avec ses parents, à Belvaux, Jean-Claude monte dans sa chambre en portant sous le bras l'ensemble des relevés bancaires qu'il a amassés ces dix dernières années. Après l'achat de la toute nouvelle Rover (payée cash, deux cent mille francs), les fréquents déplacements à Paris et maintenant ce nouveau loyer, il est temps de faire le point.

Il dépose le volumineux paquet sur la petite table d'écolier qui lui sert de bureau et se met au travail. Il y a là les relevés du compte paternel à la BNP de Lons-le-Saunier, auquel Jean-Claude a librement accès, ainsi que les relevés de ses propres comptes, également à la BNP, comme son père, celle de Lons et celle de Ferney-Voltaire.

Il retire le capuchon de son Meisterstück et sur une feuille vierge écrit : « Principales rentrées d'argent. » Les calculs ne vont pas être longs. Pour commencer, les rentes de ses parents, bon, très modestes

– quelques milliers de francs par mois – et auxquelles il ne touche qu'exceptionnellement depuis qu'il est officiellement dans la vie active (par scrupule, et parce que ce serait tout de même un peu gros) ; non, plus important, la vente du studio de la rue Calmette à Lyon, trois cent mille francs ; les « placements » confiés par l'oncle Jean : trente mille francs en 1985, dix-huit mille en 86, vingt-deux en 87, et ainsi de suite jusqu'aux dernières fêtes de Pâques, où il lui en a encore confié quarante mille. Autre « placement », les trois cent mille francs que Charles Morel lui a remis au moment de prendre sa retraite. Mais ce n'est pas tout.

Il se lève et va ouvrir la fenêtre. Une fraîche odeur d'hiver lui parvient, celle de décembre et de la terre mouillée. Il salue son chien qui, du jardin, a levé la tête vers lui. Puis reprend place à la table de travail.

La vente de la maison Sévrier, maintenant. Un million trois. Un miracle, cet apport, un vrai miracle. Autre chose ? Il réfléchit un instant, et décide de ne pas noter les soixante mille francs que la tante de Flo lui a remis pour le traitement anticancer de son mari. Ce n'est pas que la somme soit négligeable, elle ne l'est pas, mais quelque chose continue à le déranger. Il ne sait même plus ce que cet argent est devenu – mais oui, bon sang, il était tombé sur un escroc !

Il secoue la tête : ce type, de quoi avait-il l'air déjà ? Un imperméable, sombre, un chapeau, peut-être. Le visage... Non, pas de visage. À moins que... ? Non, vraiment, non.

Jean-Claude se redresse. Colonne des dépenses. Jusqu'à la fin des études, dix à douze mille francs par mois, montant prélevé dans sa quasi-totalité sur le compte parental. En 1985, on passe à vingt-deux mille francs par mois, il fallait qu'il justifie de son statut professionnel, il y la naissance de Camille... C'est à cette époque qu'il a revendu le studio de Lyon, c'est bien ça. À partir de 87, les dépenses mensuelles grimpent à trente mille.

Il repose son stylo. Florence n'a pas la moindre idée de ce que cela signifie, faire rentrer trente mille francs par mois, tous les mois, pour faire vivre sa famille... Trente mille, c'est à peine ce qu'elle a gagné dans l'année avec ses remplacements...

Jean-Claude reprend les comptes.

— Achat de la Range neuve, la bague de chez Victoroff, le Royal Monceau, le Neuville, la Crète, les antiquités pour Christine, plus le budget de Florence et les enfants, le loyer, tout ça nous fait...

Il blêmit.

— Quatre-vingt mille francs par mois depuis le début de l'année dernière ! Mais comment c'est possible ? Quatre-vingt mille francs de dépense par mois... Un demi-million rien que pour ce premier semestre ! Je n'ai pas pu faire ça.

Et pourtant si. En reprenant les factures, il s'aperçoit d'ailleurs qu'il en a même oubliées (la montre Breitling !) et qu'en réalité il reste sur ses divers comptes en banque (les siens et ceux de ses parents) à peine de quoi tenir quelques mois, à ce rythme ! Et dire qu'il est censé avoir placé de l'argent en Suisse...

Un jour viendra où il faudra qu'il explique que tout a disparu, et alors... Il n'ose même pas y penser. Mais tout est tellement sa faute, comment pourrait-il leur en vouloir... Et si quelqu'un doit payer, se dit-il avec force, c'est moi. Personne d'autre que moi. Je n'ai pas le droit de faire souffrir ceux qui m'aiment.

Il se lève, bousculant sa chaise, et se met à arpenter la pièce de long en large. Comment a-t-il pu en arriver là, lui qui est d'habitude si précis dans sa comptabilité ? Il se souvient à présent que le directeur de la BNP de Lons-le-Saunier s'est un jour étonné de l'irrégularité de ses revenus, mais avec des rentrées d'argent aussi appréciables que celles procurées par la vente du studio, puis de la maison de Sévrier, il ne pouvait pas se plaindre. Une autre fois, il lui a promis « le taux le plus avantageux du marché » si d'aventure le « docteur Welche » avait des projets immobiliers. Mais à présent qu'il ne reste pratiquement plus rien, acceptera-t-il seulement de lui prêter de quoi tenir d'un mois sur l'autre ? Pas sûr. Pas sûr du tout.

Découragé, Jean-Claude descend à la cuisine et se découpe une tranche du clafoutis préparé par sa tante, sa mère étant actuellement trop malade pour faire la cuisine.

À cette heure, la maison est encore plus calme que d'habitude. Sa mère est couchée. Son père est dans le fauteuil du salon, les pieds surélevés pour faciliter la circulation.

— Alors, ces comptes ? fait-il sans bouger, en l'entendant entrer dans la pièce.

— Tout va bien, mon petit Papa, dit Jean-Claude en arborant le simulacre de son humble sourire.

— Tu es sûr du diagnostic ?

Il a entrepris une chimio, dit-il. Ainsi qu'une radiothérapie, comme il se doit.

— C'est affreux...

Jean-Claude retire ses lunettes et son regard prend l'eau. Il ne faut pas perdre tout espoir, dit-il.

— Et tu m'annonces ça maintenant, comme ça !

Elle a envie de vomir. La ville, l'hôtel, Jean-Claude et son cancer, tout lui fait horreur.

— Mon Dieu, gémit Christine, je crois que je vais continuer à me saouler. Ou tout claquer à la roulette !

Ils feraient mieux d'aller manger un morceau, suggère Jean-Claude. Avec un peu de discernement, elle aurait pu se rendre compte qu'il ne paraît guère aussi malade qu'il le dit. Pour quelqu'un qui subit des traitements contre le cancer. Il y a des jours où sa force de conviction le désespère. Trop facile.

Mais Christine accuse le coup.

— Comment peux-tu me parler de manger ? En tout cas, moi, je n'ai vraiment pas faim. Viens, asseyons-nous près de la cheminée.

Ce voyage, elle n'aurait jamais dû le faire. Il aurait même mieux valu qu'elle ne revoie pas Jean-Claude. Et puis il était apparu, un bouquet extravagant à la main, alors qu'elle ne s'y attendait pas et que dehors la ville se diluait dans la pluie. Il l'avait emmenée dans un grand restaurant. Au cours du dîner, il l'avait étourdie de paroles savantes. Il avait lu des ouvrages de psychanalyse, disait-il, qui expliquaient qu'entre un homme et une femme il n'y a pas de rapport sexuel, « même quand ils font l'amour ». Elle n'était pas sûre d'avoir compris. Mais la conversation lui avait fait du bien. L'avait un peu excitée, pour tout dire, et elle l'avait accompagné jusqu'à son hôtel. Jusqu'à sa chambre.

Elle n'était pas restée pour la nuit. Le lendemain, Jean-Claude avait insisté pour la revoir dans l'après-midi, brièvement. Ce devait être pour « cinq minutes, pas davantage ». Il lui avait tendu les billets pour Saint-Pétersbourg, ainsi qu'un dépliant montrant la ville sous la neige, le musée de l'Ermitage et l'intérieur somptueux d'un hôtel du XIXe siècle – ce qui se fait de mieux dans toute la Russie ! s'était-il exclamé. Christine avait fini par se laisser gagner par son enthousiasme.

Mais à peine se sont-ils retrouvés dans cette chambre qu'elle s'est rendu compte de son erreur. Elle n'a jamais été amoureuse de cet homme, ne l'a jamais désiré. Elle le lui a dit, pourtant, mais c'est lui qui s'accroche, avec cet air qui vous donne des envies de le baffer. Cinq jours à tenir à ses côtés. Dieu merci, les lits sont séparés. Mais c'est un piège, cet hôtel, un traquenard dans lequel elle s'est laissée embarquer comme une gamine. Dans cette ville où le froid colle à la peau, elle n'a pas la force de sortir, pas le courage de se faire bousculer par d'épais crétins qui parlent une langue qu'elle ne comprend évidemment pas, n'arrive même pas à déchiffrer.

Assis au coin du feu, ils restent un long moment sans parler. Jean-Claude remue sa tisane en faisant grincer sa cuiller en argent dans le fond de la tasse. Christine sent qu'il la regarde. Levant les yeux autour d'elle, elle boit son cognac à petites gorgées. C'est vrai que l'endroit est superbe ! Et c'est lui qui paie tout… D'une certaine façon, il est l'homme le plus adorable au monde, et cette pensée ne fait que l'attrister davantage : elle pourrait être heureuse en cet instant, mais elle ne l'est pas.

Il ne dit rien. Il attend.

— J'ai besoin de tes conseils, s'exclame-t-elle soudain.

Elle a parlé un peu trop fort. L'alcool. Elle rit, se mord le bas de la lèvre en faisant rouler ses yeux.

— Pardon.

Mais c'est vrai, Jean-Claude a toujours été de bon conseil, dans tous ses problèmes. Un ami. Il suffit de ne pas lui permettre de sortir de ce rôle. Elle avale une lampée et dit :

— Tu te souviens que Gérard et moi, nous avions constitué une société civile, à l'époque où nous partagions le cabinet dentaire ? Il y a un an exactement, j'ai revendu mes parts.

Bonne initiative.

— Elles m'ont rapporté pas loin d'un demi-million.

Il a dirigé son regard vers les flammes qui s'élèvent dans la cheminée. De francs ? Français, veut-il dire, pas suisses. Oui ? Et son banquier s'en est bien occupé ?

Justement, c'est là qu'est le problème. Une affaire assez compliquée, dans laquelle s'empêtrent les explications de Christine. Une affaire où il est question d'un compte commun avec son futur ex-mari, pour l'heure encore autorisé à y puiser, et il l'a prévenu qu'il ne s'en priverait pas. Tout claqué au jeu, un malade.

— Je ne veux pas qu'il s'attaque à ce qui me reste. J'ai l'intention d'ouvrir mon propre cabinet, et puis il y a les enfants…

Le salaud, se dit Jean-Claude. Voilà bien le genre de comportement qu'il ne tolère pas. Il lui en touchera un mot quand ils seront rentrés, à ce Deschamps… Mais au fait, combien de temps vit-on avec trois ou quatre cent mille francs ? Une année, tout au plus, au train où vont les choses. C'est toujours ça. De quoi voir venir.

Il comprend, dit-il. Christine souhaite mettre ses économies à l'abri de ce filou ?

— Exactement ! Mon avocat me conseille de retirer l'essentiel de cet argent et de le déposer quelque part. Dans un coffre, par exemple. Où, je ne sais pas. Moi l'argent je n'y ai jamais rien compris. Rien que d'y penser, ça me donne de l'urticaire !

Puis elle éclate d'un rire de petite fille, que Jean-Claude trouve tout à fait charmant.

22

Pour ne pas être repéré, prudemment il téléphone d'une cabine.

— Laissez Christine tranquille, dit-il en parlant à travers son mouchoir. Je vous préviens.

— Comment ? Qui êtes-vous ?

Gérard Deschamps n'a pas entendu la moitié de ce que le type lui a susurré dans le combiné.

— Je ré-pè-te : lais-sez-Chris-tine-tran-quil-leu.

Sa main est moite sur le combiné. Il l'essuie avec le mouchoir.

— Les individus de votre espèce, ajoute-t-il, je les connais : il faudrait les enfermer !

Merde, le mouchoir. Trop tard.

— Et qu'est-ce qui vous fait dire ça, mon ami ?

— Peu importe. Mais je suis parfaitement au courant de vos agissements. Et si vous ne laissez pas votre femme en paix, j'irai trouver la police.

— Tiens ! Et qu'irez vous donc leur raconter ? La vérité, toute la vérité, rien que la vérité, Dr Welche ?

Et quand Florence découvre, dans une poche du complet en velours vert qu'elle a voulu donner à nettoyer, une facture vieille de plusieurs semaines pour des fleurs qu'il ne lui a pas offertes – et au vu de la somme, il devait s'agir d'un de ces bouquets qui ne passent pas inaperçus –, facture émise de surcroît par un fleuriste parisien, ce n'est pas un sentiment de catastrophe qu'elle éprouve, ni celui de l'effondrement d'un monde. Bien que sa lucidité ne la trompe pas, qu'elle ne cherche pas à nier l'évidence – ces fleurs ont été offertes à Christine Deschamps, sans l'ombre d'un doute –, et qu'elle sait, sans l'ombre d'un doute, que Jean-Claude et Christine sont amants, et même si sa douleur de femme trahie est fulgurante, pas un instant elle n'envisage de se laisser envahir par le désespoir. Ce n'est pas en femme qu'elle doit réagir, se dit-elle, mais en mère, ce qui lui arrive n'est absolument pas grave si elle peut préserver ce qui est sa vie avec les enfants, c'est-à-dire très précisément la vie à la maison et la quiétude de cette existence ; et ce n'est pas lâcheté que de réagir ainsi, de toute façon, ce mot lui paraît vide de sens en pareille circonstance, quand les enfants sont en jeu. Elle se contente de dire :

— Ta *petite sœur* ne te téléphone plus ? Christine. Tu m'as toujours dit qu'entre vous c'était grand frère, petite sœur.

Et comme il fait mine de ne pas comprendre, elle lui présente la facture. Sans rien ajouter, elle le regarde pâlir.

— Je ne veux plus en entendre parler, dit-elle enfin. Jamais.

Deux occasions d'être démasqué, se dit Jean-Claude. Deux occasions manquées. Il fait pourtant ce qu'il faut. Qu'on ne vienne pas lui reprocher d'être ce qu'il est, après ça.

Dans les semaines qui suivent, les choses semblent rentrer dans l'ordre. Mais il sait qu'il avance désormais sur une très fine couche de glace : à chaque instant, le miroir peut se briser et la réalité l'engloutir. Le danger ne viendra pas de Florence, cependant. Le mensonge à présent les lie.

Étienne lui a fait une proposition : pourquoi ne viendrait-il pas tenir une conférence à l'Association médicale française du Léman, association dont lui, Étienne, est le président ?

— Nous cherchons un intervenant pour parler du cholestérol : je suis sûr que tu te débrouilleras très bien.

Jean-Claude flaire là un piège. Le cholestérol est un domaine qu'Étienne connaît par cœur. Et si c'était une façon de le mettre à l'épreuve ? Si tout le monde semble lui faire confiance, il sait qu'il ne peut, lui, faire confiance à personne. À la moindre défaillance de sa part, ils l'abattront comme un chien... Comme un chien.

Le piège, c'est aussi de comparaître devant une assemblée de praticiens parmi lesquels il pourrait s'en trouver qui sont en contact avec l'OMS. Le défi ne manque cependant pas d'intérêt : éviter l'épreuve publique, tout en satisfaisant son ami.

Il ne lui faut pas quinze jours pour rendre sa copie. Un travail minutieux et impeccable. Tout y est, l'épidémiologie des maladies cholestérolémiques, les facteurs de risques associés, les facteurs génétiques de ces maladies, les problèmes récemment soulevés par les spécialistes sur les traitements hypercholestérolémiants. Étienne est impressionné. Seulement, pour une conférence, le travail que lui présente Jean-Claude est tellement pointu et saturé d'équations et de formules chimiques qu'il paraîtrait totalement indigeste à des médecins généralistes.

— Il ne s'agit pas de s'adresser aux pontes de la recherche, mon vieux. Juste des petits toubibs de province comme moi.

Jean-Claude est désolé… Mais il ne va pas pouvoir se remettre de si tôt à son texte.

Étienne hausse les épaules. Tout ce qu'il voulait, c'était lui rendre service.

— On verra ça l'année prochaine, dit-il.

Jean-Claude acquiesce. La chance est revenue vers lui, songe-t-il. L'heure des grandes révélations – celle du Jugement dernier – n'avait tout simplement pas sonné.

Pour la ridicule somme de deux cents francs, l'agence de voyage lui proposait n'importe quelle destination dans le monde. À une seule condition : qu'il saute en vol. Sauter dans le vide ? Pas de problème !

Jean-Claude se réveille en sursaut. Il était sur le point de s'écraser au sol.

Il est allongé sur son petit lit, à Belvaux ; les siens, Florence, les enfants, sont en bas, tenant compagnie à sa mère et son père.

Le brouillard poisseux de la peur l'envahit à nouveau, il le sent contre sa joue, dans sa bouche, sa gorge, ses poumons. Que je bouge seulement un peu le bras gauche, et le monde s'effondrera autour de moi ; le bras droit, une vague gigantesque le submergera. Son corps, voilà ce dont il faudrait pouvoir se débarrasser ! Cette chose immonde, obscène, pleine de désirs comme une femme est pleine de vie pendant la grossesse, comme un cadavre est gorgé de vers. Et pourtant, il y a dans cette maison des odeurs, familières, infiniment anciennes, qui le ramènent à l'intérieur de lui, si profondément qu'il voudrait ne plus en sortir.

Il devrait refuser de continuer à vivre. Ici, il pourrait se le permettre, être mort ou vivant, cela n'a plus d'importance puisqu'il est revenu à la matrice, il est là d'où il n'aurait jamais dû partir – ces odeurs, indéfinissables, voyons, un effort : de la poussière ? Oui, mais pas seulement. La cuisine ? Aussi. Les chiottes ? C'est ça : la poussière, la bouffe, la merde, l'organique insoutenable travesti en quotidien. La peur se déguise, mais en deçà il n'y a que des atomes, c'est tout ce que nous sommes, des particules de plus en plus petites, quand je pose ma bouche sur les seins d'une femme, que fais-je d'autre qu'embrasser des atomes, enfanter des atomes ?

J'ai peut-être de la fièvre, se dit-il en se tâtant le front. Mais tout va bien. Ces odeurs insistantes de mort constituent notre dernier lien avec le vivant. Ici, je n'ai pas de compte à rendre. Cette idée le fait sourire, comme sourient les ivrognes : oui, ici je suis le maître du monde, un petit maître d'un petit monde, mais qui m'a donné le jour. Et aussi longtemps que vivront...

Jean-Claude se redresse brusquement. Une image terrible vient de lui traverser l'esprit : sa mère morte, le crâne éclaté, et c'est lui qui vient de la tuer. Il cherche son souffle, mais la haine qu'il éprouve soudain le laisse abasourdi. Ah, qu'elle crève donc ! Pourquoi faut-il toujours qu'elle soit au plus mal lorsqu'ils se voient ? C'est à chaque fois pareil : d'abord elle se réjouit de sa présence longuement attendue, son visage s'illumine comme devant une apparition divine, puis elle s'effondre pour ensuite se morfondre jusqu'au départ qu'elle appréhende tant. Son père est agité de même, mais c'est au fondement que ça le gagne, il a des chiasses épouvantables, qui empuantissent toute la maison. « Je n'ai rien contre toi, papa, puisque je suis toi », dit une voix en lui.

Sa vue se brouille. L'effet de la haine ? Les images qui défilent devant ses yeux se couvrent maintenant de sang, il patauge dans le sang de sa mère, dans la haine de sa mère, je ne suis rien, se dit Jean-Claude, elle est tout, elle n'est rien, elle est moi. Pourquoi suis-je donc à ce point meurtri ? Ils veulent ma perte, n'est-ce pas ? C'est ça, hein ? Mais qui donc, *ils* ? Autour de lui, le monde est grouillant de vers, il aurait aimé être le bienfaiteur de l'humanité mais les vers vont le dévorer, il est dans l'absolu de l'amour et il n'y a rien à dire de plus : dans l'absolu de l'amour, les mots n'ont pas accès.

Il a tout à coup très froid. La mort m'est inaccessible, se dit-il, ce n'est même pas la peine d'essayer ! La mort, la disparition, l'effacement de la mémoire, le rien, je n'accéderai jamais à cet univers, parce que je suis la vie éternelle. Quelle chose terrible, la lucidité.

Telle est ma malédiction, se dit-il encore, au moment où l'odeur du chocolat chaud, montant de la cuisine, s'infiltre sous la porte. Je ne peux pas penser ma mort, personne ne peut penser sa propre mort.

Dehors le jour s'est fondu dans la nuit. Quand la nuit survient ainsi, le jour n'existe plus, il n'a jamais existé. Il ne reste qu'un trou noir, l'obscurité est un silence, d'un effroi infini. Mais qu'on en finisse une bonne fois pour toutes ! L'oncle André lui a de nouveau parlé de l'argent. Cette fois, il va en avoir besoin. Il veut faire des travaux, agrandir le garage. Il va bien falloir trouver une solution. Un autre miracle. Le dernier, c'est promis. Après, j'arrête de jouer.

Ils rentrent de Belvaux. Au volant, Jean-Claude. Dans les virages, sur l'austère plateau de Saint-Laurent, les phares balaient des champs de neige gris et parfois, oui parfois, d'un bleu rosé. Il roule vite. Bleu rosé, la neige, alternativement grise : il se demande si c'est là l'effet d'une déformation de son cerveau, d'une maladie de l'œil, d'une tumeur, de celles qui faisait peindre à Van Gogh des circonvolutions, et la route tourne et la neige vire du bleu au gris par le rouge, il est fou, se dit-il soudain, lui Jean-Claude Welche est fou, mais personne ne le saura jamais, quoi qu'il advienne personne ne saura jamais nommer cette forme de folie, parce qu'elle est enfouie si profond en lui, en l'humanité, qu'à l'issue de cet éclair de conscience, de cette épiphanie colorée sur fond de neige, l'océan de la normalité s'est refermé sur lui. À jamais.

Il n'a pas provoqué d'accident. Il aurait pu, et tous les tuer, et lui avec, d'un simple coup de volant sur cette route par endroits toujours verglacée. Autour de lui dorment Florence et les enfants, bercés par le bruit apaisant et familier du moteur, et cette quiétude, ce bonheur, il en est le maître absolu, ils sont son œuvre.

Jean-Claude a levé le pied sans s'en rendre compte. Pour dissiper l'éblouissement provoqué par la neige, il ferme les yeux et les rouvre très vite. C'est drôle la neige : tu sors de la nuit et tu retournes aux ténèbres.

Jean-Claude sourit. Ils peuvent compter sur lui. Il ne les laissera pas tomber.

23

Christine et Jean-Claude se voient peu pendant tous ces mois. Ils s'évitent, chacun pour des raisons différentes. Un jour, Christine décide cependant de l'appeler pour lui annoncer qu'elle est sur le point d'ouvrir un nouveau cabinet, avec un partenaire. Il faudrait qu'elle puisse récupérer son argent.

Un partenaire ?

— Oui. Un ami.

Un ami ! Le connaît-il ? Comment s'appelle-t-il ?

— Frédéric Boquet... Jean-Claude, s'il te plaît, ne prends pas les choses comme ça. J'ai le droit de refaire ma vie, non ? Au fait, Gérard m'a dit que vous vous êtes parlé ? Je ne sais pas de quoi vous avez discuté, mais je n'aime pas tellement ça : je préfère régler moi-même mes problèmes avec mon mari. Mon ex-mari.

Il l'interrompt : il aimerait la revoir.

— Moi aussi, Jean-Claude. Cela me ferait plaisir. Vraiment. Et puis... Il faut de toute façon qu'on se voie pour l'argent... Assez rapidement.

Dimanche, alors.

— Après-demain ? Cela ne m'arrange pas tellement. Nous avons prévu, enfin, je serai… Je serai à
Saint-Malo ce week-end.

Seule ?

— Jean-Claude ! Non, pas seule.

Quel hôtel ? veut-il encore savoir.

— L'hôtel ?… L'Hôtel de la Cité, je crois. Pourquoi ?

Pour rien, dit-il. Il lui propose alors jeudi. Jeudi
prochain, le 25.

Ce week-end-là, le téléphone sonne plusieurs fois
dans la chambre que la jeune femme occupe avec
son compagnon. À chaque fois qu'ils décrochent,
l'interlocuteur reste muet. Christine s'exaspère :

— Jean-Claude, c'est toi ? Parlez, je vous en
prie !

— Peut-être qu'il n'arrive pas à t'entendre, suggère son compagnon.

D'ailleurs les appels cessent.

Le soir, devant un gigantesque plateau de fruits de
mer, ils reparlent de l'argent qu'elle a confié à Jean-
Claude Welche.

— Tu es folle, dit son ami. Et s'il ne te le rendait pas ?

— Jean-Claude ? Tu plaisantes. Bien sûr que si !

Mais le jeudi, Christine est sans nouvelles de lui.
Sinon ce bouquet de fleurs qui lui a été livré à la
maison, avec ce message : « *Urgence professionnelle
à l'étranger. Impossible de me rendre à Paris. Pas
d'inquiétude pour ce que tu sais : t'appellerai dès
mon retour.* »

Jean-Claude est bien gentil, se dit-elle, mais ça ne
m'arrange pas tellement. Elle a signé une promesse
auprès du notaire et versé un acompte.

Les messages qu'elle lui laisse sur son Operator restent sans réponse. Evidemment, s'il est à l'étranger, se dit-elle.

Il sonne en bas à l'interphone, qui grésille : « Anaïs – bonjour. » La première fois, Jean-Claude n'a pas su trop quoi répondre. Maintenant, il sait qu'il suffit de pousser la porte et de monter dans l'ascenseur. Au cinquième étage, celle qui se fait passer pour Anaïs lui ouvre en peignoir. Elle le reconnaît, se montre gentille, le met en confiance. Il n'était pas rassuré au début, mais l'argent simplifie tellement les choses. Pour cinq cents francs il a droit au massage classique, celui où « la fille est habillée », ainsi qu'elle l'avait précisé. Toujours la première fois, Jean-Claude avait espéré que « la fille », ce ne serait pas elle, ce nom d'*Anaïs* lui évoquait une créature plus exotique que cette femme plus très jeune au visage assez vulgaire, sous un maquillage pourtant léger et de bon goût ; par la suite, il avait encore été déçu par l'empâtement du corps et la peau d'orange sur les fesses, ce qui pour le tarif lui paraissait abusif. Il aurait d'ailleurs pu se contenter du premier prix, le service à cinq cents francs, qui se termine, moyennant toutefois un billet de plus, par une brève séance de masturbation, ou de celui à six cent cinquante, avec « la fille » topless, en string ; ou encore à huit cents francs – complètement nue. Mais dès la première fois c'est le tarif le plus élevé, à mille deux cents francs, comprenant bain à remous, mousse à l'eucalyptus et Anaïs entièrement dévêtue dedans, avec « finition à la discrétion du client », qu'il avait choisi. Il y a pris goût. C'est celui qu'il redemande à chaque fois.

24

Christine n'a toujours pas récupéré son argent. On est au début de juillet, mais depuis l'envoi des fleurs, Jean-Claude n'a tout simplement plus donné signe de vie. Et sa messagerie n'a pas été remise en service.

Devant l'urgence de la situation, elle demande à son assistante d'appeler chez lui. Si elle tombe sur sa femme, elle n'aura qu'à se faire passer pour une secrétaire de l'OMS. Il comprendra.

Le lendemain, Jean-Claude la rappelle enfin. Mais il a, annonce-t-il, de mauvaises nouvelles à lui annoncer. Il est à l'hôpital, à Lyon. Il a négligé son traitement (« J'ai fait le con », dit-il) et à présent, rechute avec un lymphome.

— Mon Dieu, mais c'est grave !

Assez sérieux, en effet. Sinon, il ne serait pas hospitalisé. Mais il ne peut pas se prononcer. Il ne connaît pas encore les résultats des tests qu'on lui a fait subir.

— Et tu te sens comment ?

Il répond avec un petit rire embarrassé. Dit qu'il craint de ne pas être très en forme. Qu'il est réellement obligé de garder le lit.

Christine est bouleversée.

— Tu veux que je vienne te voir ?

Non, répond-il. Florence passe tous les jours, ce serait... Il reçoit aussi, régulièrement, la visite d'Étienne.

Christine ne peut qu'acquiescer.

Quant à l'argent... Il marque un temps. Elle l'entend tousser. Il s'excuse, affirme qu'il a du mal à respirer... À penser de façon cohérente... Où en était-il ? L'argent. C'est compliqué : il n'est pas en mesure de quitter sa chambre pour aller le chercher à Genève. Mais d'ici le 1er septembre...

— Septembre ! Non, Jean-Claude, il me faut cet argent avant. Au moins une partie, deux ou trois cent mille, pour que la banque accepte de me suivre...

Voilà qui est en effet très ennuyeux. Évidemment, il pourrait toujours revendre sa voiture. Qu'en pense-t-elle ? Il va demander à quelqu'un de s'en occuper, Étienne par exemple. Il trouvera bien un prétexte, et elle aura ainsi l'argent dans la semaine.

— Je ne peux pas t'obliger à faire ça ! Ne t'inquiète pas, je trouverai une autre solution. La famille me donnera un coup de main. Je n'aime pas trop ça, mais là, c'est un cas de force majeure.

Il comprend, dit-il. Cela l'ennuie tellement de la mettre dans ce pétrin... Et dire qu'il voulait lui rendre service ! Voici son téléphone à l'hôpital. Sa ligne directe, dans la chambre. Elle peut l'appeler quand elle le veut.

Le numéro, bien entendu, correspond à une ligne qui n'existe pas, et Christine, après l'avoir essayé à plusieurs reprises, finit par renoncer en se disant qu'elle a dû mal le noter.

Quelques jours plus tard, elle reçoit cependant par la poste un chèque, d'un montant de cinquante mille francs et signé de Jean-Claude. Une courte lettre l'accompagne :

Ma chère Christine,

Tu me manques. J'imagine que si tu ne m'as pas rappelé à l'hôpital, c'est que tu t'es débrouillée avec ta famille. Voici tout de même cette petite avance sur ce que je te dois.

Quant à ma santé, si cela t'intéresse encore, sache que je vais un peu mieux : les médecins me disent que je ne devrais pas tarder à sortir, et ma foi, je veux bien les croire !

À toi, ton J.-C.

Elle referme la lettre en soupirant. Pourquoi ne lui dit-il pas la vérité ? Elle est sûre qu'il ne va pas aussi bien qu'il le prétend. Il est comme ça, Jean-Claude, toujours plus soucieux des autres que de lui-même, mais elle sait que son optimisme n'est que de façade, et qu'au fond de lui il doit souffrir terriblement. Peut-être devrait-elle se montrer plus attentionnée à son égard, plus affectueuse. En tout cas, il faudrait qu'elle reprenne contact avec Florence un de ces jours. Maintenant qu'il n'y a plus rien entre eux. Et avant qu'il ne soit trop tard… Mon Dieu non, elle n'a pas le droit de penser ainsi. Un homme si doux, si serviable, ce serait trop injuste qu'il ne s'en sorte pas. La vie n'est tout de même pas si cruelle.

Chez Only You, il y a une réceptionniste. Elle est la plus jolie des trois filles sur le catalogue, mais elle n'est pas disponible. Ou alors le client doit se satisfaire lui-même, mais sans contact, en face à face. Ce n'est pas ce que recherche Jean-Claude. Le contact, c'est justement ce qui lui fait défaut.

Au Gentlemen's Club, au-dessus de l'agence de voyage turque, Muriel, née en 1962, lui a proposé de regarder une vidéo en même temps ; il a choisi *Nanou Spécial anal n° 19* et a trouvé ça très excitant, ainsi que *Éjaculation et Intromission Nanou n° 9* et *Intimité violée par une femme, Nanou n° 4*. À ce jour, Jean-Claude ne sait toujours pas qui est cette Nanou. Pour trois mille francs, il a également acheté un kit vibromasseur et une culotte de femme en skaï, ce qu'il trouve abusivement cher, en fin de compte.

Lors de la conversation téléphonique qu'il a eue avec Christine dans les premiers jours de septembre, Jean-Claude a pratiquement dû la supplier de ne pas chercher à récupérer l'argent immédiatement. Le montant est bloqué jusqu'en décembre à cause des intérêts, a-t-il expliqué. Pour des raisons un peu trop compliquées à détailler par téléphone, il faudrait qu'il puise dans le compte d'épargne de Florence pour la rembourser maintenant. Ce serait embarrassant, ne comprend-elle pas ?

Non, Christine n'est pas certaine d'avoir tout compris, mais elle n'ose pas le brusquer. D'ailleurs la situation est à présent moins urgente. Grâce à la caution de son oncle, les actes notariés ont pu être signés.

— Décembre, ça ira.

Décembre ? Bien. Parfait. N'est-ce d'ailleurs pas l'échéance qu'il lui avait donnée dès le départ ? À ce moment-là, il n'y aura plus le moindre problème. Elle l'aura, son argent, dit-il d'un ton plein de conviction.

— Avec les intérêts.

25

Un noyer se trouve devant lui, noueux, déjà vieux à ses yeux ; un jour, il y a longtemps peut-être, la foudre l'a frappé.

Jean-Claude se lève de plus en plus tôt. À 4 heures maintenant. Il est descendu au jardin. De la neige saupoudre le sol durci par le froid. Il s'accroupit et dégage de la main un cercle dans lequel il dispose les papiers : des lettres de Christine, un poème, composé pour Florence il y a près d'une vingtaine d'années, les histoires qu'il a commencées et jamais terminées, assis derrière le volant, d'autres lettres, jamais adressées. Il gratte une allumette, et protégeant la flamme du creux de la main, il la met au contact d'une première lettre, qui prend d'abord lentement. Mais à leur tour d'autres documents s'embrasent, et toute une vie secrète se consume en un instant.

Les dernières braises passent à regret du rouge au gris, il fait brusquement plus froid, et du pied il écrase les cendres, dont certaines se collent à la semelle. De l'amas de papier, un mot ici ou là a survécu à l'autodafé, mais ils sont trop peu nombreux pour que l'énigme puisse un jour être reconstituée, même par le plus habile des archéologues de l'âme.

Tournant le dos au vieux noyer, il rentre. Dans la cuisine, il se sert un verre de lait. Florence a donc fini par parler à Étienne de sa relation avec Christine. Elle n'aurait pas dû. C'était leur secret. Leur mensonge à eux. Elle a trahi toute la confiance qu'il mettait en elle.

Et que lui avait-elle dit d'autre? Cette question, Jean-Claude n'avait fait que la murmurer, mais d'un ton tellement dur qu'il avait senti sa mâchoire se contracter, et pendant un instant le visage de Florence avait pris une expression qu'il ne lui connaissait pas. Une expression de terreur. Et puis c'était passé. Mais il y avait quand même eu ça, cette terreur dans les yeux de sa femme.

— Rien, avait-elle fini par répondre. Que voulais-tu que je lui dise? Simplement que ça m'avait fait mal. Que tu étais trop renfermé. Mais ça, tu le sais n'est-ce pas? Que nous ne pouvons jamais parler de rien…

Il s'était ressaisi. Il plaidait sa cause, à présent: il avait cru comprendre qu'ils ne devaient justement plus jamais en parler, de cette histoire. Ne l'avait-elle pas elle-même exigé?

— Je sais. Mais parfois, c'est tellement dur, de vivre en face d'un mur.

Et lui, Étienne, qu'a-t-il dit?

— Qu'il était déçu que tu aies fait ça. Que tu avais sacrément bien caché ton jeu, si même lui ne s'était rendu compte de rien. Il a dit aussi que nous devrions peut-être consulter un thérapeute du couple.

Il avait soupiré: et elle, qu'en pense-t-elle?

Florence a haussé les épaules.

— Tu connais Étienne. Il faut toujours qu'il exagère.

Pourquoi est-ce que tout le monde m'en veut donc ? gémit-il en constatant que, pour une fois, les larmes qu'il s'était efforcé de faire venir ne sortaient pas.

— Je ne fais de mal à personne.

— Mais personne ne t'en veut, Jean-Claude. Étienne se fait du souci pour toi, c'est tout. Il craint toujours que tu récidives ton lymphome, tu sais bien.

Lui a-t-il dit ?

— Il n'avait pas besoin de me le dire. Je sais qu'il te considère comme un frère.

Cela aussi, c'était inquiétant.

Jean-Claude entend passer le camion des éboueurs. Levant les yeux vers la pendule de la cuisine, il constate qu'il n'est pas tout à fait 5 heures.

Jusqu'à 7 heures, il se plonge dans les *Confessions* de saint Augustin. Puis il fait sa toilette, met en marche la cafetière électrique et sort chercher les viennoiseries pour le petit déjeuner – un pain rond, trois croissants et un pain au chocolat, que la boulangère a déjà emballés pour lui. Au retour, il monte à la chambre des enfants.

Se penchant sur Hugo, il lui touche les pieds, et dit : « Les pieds, je me réveille ! » Les cuisses : « Je me réveille ! » Hugo ne peut s'empêcher de gigoter et d'éclater de rire au moment où son père lui dit : « Les fesses, je me réveille ! » Tirée du sommeil par les cris de son frère, Camille fait mine de continuer à dormir. Elle finit cependant par se lever.

— Tu es tout pâle, papa, dit-elle. Tu es malade ?

Non, c'est parce qu'il fait froid, dehors.

— Et alors ? Quand il fait froid on a les joues toutes rouges !

Pas lui, dit-il. En réalité, ce matin la vue de ses enfants l'accable. Un abîme les attend. Bientôt. La fin.

— Dépêchez-vous, j'entends maman qui se lève.

Il prépare sa petite valise dans laquelle il range des affaires pour la nuit (« Un colloque à Nice ») et prend la route en direction de Lyon.

À 10 heures, il descend de voiture et reste sur le trottoir, devant le rideau métallique. Le néon au-dessus de l'entrée est éteint, et il se dit que c'est ridicule d'attendre 10 heures du matin devant la boutique d'une prostituée qui se fait passer pour une esthéti-cienne. Il a froid aux pieds. Consultant son carnet d'adresses, Jean-Claude se dit que Muriel, peut-être… Il peut y aller en marchant, c'est à trois rues.

Il compose le code d'entrée, monte, sonne. Per-sonne ne répond. Il sonne une seconde fois, et alors qu'il est sur le point de s'en aller, un bruit de pas à travers la porte le fait se retourner. La porte s'ouvre, autant que le permet la chaîne de sûreté beaucoup trop lâche (il le lui a déjà dit, un homme assez mince pourrait se faufiler à l'intérieur), et au moment précis où l'odeur de l'appartement atteint ses narines, il se rappelle, avant même de le voir, le visage de Muriel. Mais elle s'est coupé les cheveux, et cela lui fait un casque ; dans l'encadrement de cette frange, le visage s'aplatit et paraît encore plus vide.

— Qu'est-ce que c'est ?

Elle est en peignoir.

— Ah… Plus tard, s'il vous plaît. Je sors de la douche.

Il force un sourire. Justement…

— Non, vraiment, ce n'est pas le moment. À plus tard ?

Un petit geste de la main, l'esquisse d'un clin d'œil, et la porte se referme.

Il se retrouve en bas. Remonte dans la voiture.

— Direction Belvaux! articule-t-il à voix haute, pour se donner du courage.

En roulant vite, il peut y être pour le déjeuner. En sortant de Lyon, et pour une raison qui lui échappe, le sac de pommes de terre que ses parents entreposent dans la cave lui vient à l'esprit. Au printemps, il leur pousse des germes comme des asticots et des yeux blancs qui lui évoquent quelque film d'épouvante américain : il lui suffirait d'ouvrir le sac pour que ces pommes de terre en bondissent comme des rats et se faufilent entre ses jambes.

Sur le téléphone cellulaire de sa voiture, il compose le numéro d'Étienne, au cabinet. Quand celui-ci décroche, Jean-Claude dit, très vite, comme s'il était sur le point de s'asphyxier, qu'il a des places pour le ballet à Lyon, samedi soir. Ça leur dirait?

Étienne hésite :

— Faut voir... Dis donc, tu m'as fait peur. J'ai cru qu'une catastrophe était arrivée.

Pour dire la vérité, précise Jean-Claude, il était inquiet. Son ami lui en veut-il? Pour son histoire avec Christine...

— T'en vouloir... Oui. Pour te parler franchement. Je n'ai pas à te juger, mais que tu fasses ça à Florence. Je ne te reconnais pas, là...

Les hommes peuvent parfois présenter un visage surprenant, même à leurs meilleurs amis, répond Jean-Claude.

— Je sais. Surtout quand il s'agit d'une femme. Mais ce n'est pas une excuse. Je dois dire que tu m'as déçu, Jean-Claude...

Alors, il n'est plus son ami?

— Si. Et ne prends pas ce ton plaintif pour me demander ça. Tu demeures mon ami, parce que l'amitié, c'est aussi cela : pardonner ce que l'on n'approuve pas. Mais Florence aussi est mon amie. Et j'aimerais pouvoir continuer à vous voir ensemble. Et maintenant, dit Étienne avec lassitude, il va falloir m'excuser. J'ai à faire. Je ne suis pas de très bonne humeur... Je t'en veux encore. Je te le dis comme je le pense. Quant au ballet, cela me paraît un peu prématuré. Nous en reparlerons. Ne m'en veux pas, mais pour l'instant, j'ai besoin de réfléchir un peu...

Abasourdi, Jean-Claude roule, sans but précis, toute la journée. Contrairement à ce qu'il a d'abord envisagé, il n'est pas allé à Belvaux, mais en direction des Alpes, Grenoble, puis Valence, avant de revenir sur ses pas, Saint-Étienne, une grande boucle qui le ramène finalement vers Lyon. À 17 heures, il s'aperçoit qu'il se trouve au bas de l'hôtel de la rue Calmette, son ancienne adresse, en face de la fac de médecine. Il prend une chambre, la 17. Il pourrait en finir ici, se dit-il. S'il avait ce qu'il faut, une arme, les barbituriques adéquats. Puis il hausse les épaules : il n'aura jamais ce courage... Il ouvre la fenêtre, pour avoir un peu d'air frais.

Lorsqu'il appelle à la maison, à cette heure, en principe il n'y a personne – Florence a emmené les enfants au cinéma de Ferney-Voltaire pour voir un Disney. Il écoute les messages sur le répondeur.

— C'est la radio suisse romande... Vous venez de gagner mille francs grâce à notre tirage au sort des numéros de téléphone ! Bravo et encore merci d'avoir bien voulu jouer avec nous !

— Salut Jean-Claude, c'est Étienne, je te confirme pour samedi soir. À plus tard. Salut les biquets !

Un brave type, Étienne. Restera mon ami jusqu'au bout, lui. Puis :

— Tête de mort.

Une voix d'homme, qu'il ne reconnaît pas. *Tête de mort...* Un message que j'aurais moi-même laissé en déguisant ma voix ? Il n'arrive pas à se souvenir. Et pour quelle raison aurait-il fait ça ? Peut-être pour effrayer Florence... Mais il n'en est pas sûr. Il n'est plus sûr de rien en ce moment.

26

En dépit de ses efforts, Florence sent qu'elle est en train de perdre pied. Le pire, c'est qu'elle est bien incapable d'expliquer ce qui provoque son désarroi et le sentiment de panique qui l'accompagne. Ce soir, une fois les enfants couchés, alors qu'elle se démaquille devant la glace, Florence se dit qu'elle a changé ; pas physiquement : elle est convaincue de ne pas faire ses trente-cinq ans. Mais elle a changé parce qu'elle a perdu cette confiance en elle-même qu'elle croyait inébranlable. La confiance en la vie. Et un sentiment étrange est apparu, alimenté par des poussées d'angoisse qu'elle n'a jamais eues auparavant, même après la mort de son père, un phénomène nouveau : la peur. Depuis ce jour où elle a fait face à Jean-Claude. Ce n'était pas que l'expression de son visage, cette tension qui, très brièvement, lui avait tordu la bouche en un rictus horrible, mais le fait d'avoir eu le sentiment d'être en présence d'un étranger. Ce n'était pas la première fois qu'elle l'éprouvait, songe-t-elle, sans pouvoir se rappeler en quelles autres circonstances. De ne plus savoir qui il est. Pas à cause de son aventure avec Christine.

Curieusement ça, ce n'était qu'abject. Immensément décevant et abject. Mais il y avait autre chose, et c'est cette autre chose qu'elle ne comprend pas, qui maintenant fait qu'elle a tout le temps peur. Pas seulement en sa présence, mais curieusement aussi quand il est en déplacement et qu'elle est seule. Elle a peur qu'il lui arrive quelque chose sur la route, ou peur pour les enfants dès qu'ils ne sont pas dans la même pièce qu'elle – elle ne les laisse même plus aller dormir chez les enfants Dumez. Étienne la prendrait pour une folle si elle lui disait la véritable raison. Que penserait-il, si elle lui racontait qu'elle ressent que la menace, c'est de la maison, des murs eux-mêmes qu'elle émane ?

Florence se met au lit. A-t-elle verrouillé toutes les portes ? Elle se relève. Les fenêtres de la cuisine sont tellement basses que n'importe qui venant du jardin peut les enjamber, et elle n'a pas fermé les volets.

Alors qu'elle descend vers la cuisine, la sonnerie du téléphone la fait sursauter.

— Allô ? Jean-Claude ?

D'abord rien. Puis une voix d'homme, étouffée, qu'elle ne reconnaît pas, et qui souffle :

— Tête de mort.

Qu'a-t-il dit ? Elle n'est pas certaine d'avoir bien compris :

— Jean-Claude, c'est toi ?

L'oreille collée au plastique froid de l'appareil, elle entend la respiration de l'homme.

— Qui c'est ? Parlez !

Puis, moins fort, pour ne pas réveiller les enfants :

— Je ne vous entends pas. C'est toi, Jean-Claude ?

C'est probablement lui, sur son portable. Ce ne serait pas la première fois que la communication passe mal. Mais cette phrase : « Tête de mort », que veut-elle dire ? A-t-elle seulement bien entendu ?

À la sortie de l'école, Florence croise Mme Voisard. En plus de faire le repassage et le ménage chez les Welche, celle-ci nettoie les bureaux de l'OMS. Elle sait que « le Dr Welche » y travaille, parce que Florence le lui a dit. Jean-Claude aurait souhaité qu'elle fasse preuve de plus de discrétion. Ce doit être embarrassant pour cette femme, a-t-il dit, de récurer les toilettes de quelqu'un qu'elle peut croiser dans les bureaux.

— Embarrassant pour toi, tu veux dire ! avait répliqué Florence en riant.

La fille de Mme Voisard porte une jolie robe blanche, un manteau rouge et un nœud assorti dans les cheveux.

— Où vas-tu, si bien habillée ? lui demande Florence.

— À l'arbre de Noël ! répond la fille.

— L'arbre de Noël ? Celui de l'école ?

— Non, intervient Mme Voisard. Celui de l'OMS, voyons. Ne me dites pas que vous n'êtes pas au courant ?

Un voile de consternation passe sur le visage de Florence. L'arbre de Noël, tant attendu des enfants, et Jean-Claude ne lui a rien dit !

— Cette fois, je vais vraiment me fâcher avec Papa, dit-elle à Camille.

Il a dû oublier, fait la femme de ménage, conciliante.

— Nos maris, vous savez comment ils sont ! Mais…

— Ce n'est rien, fait Florence en s'essuyant rapidement les yeux. Je ne pleure pas. Je…

Elle renifle en riant nerveusement.

— Mon Dieu… Ces fêtes de fin d'année nous mettent tous un peu sur les nerfs, n'est-ce pas? En tout cas merci, Mme Voisard. Allez, les enfants, on rentre.

— On va pas à l'arbre? demande Hugo.

— Non, pas à l'arbre. Pas cette fois-ci.

Elle contemple son portrait, posée sur la commode de la cuisine. Autant il aime faire de la photo, se dit-elle, autant Jean-Claude a toujours détesté qu'on le photographie. Des yeux si doux, si bons, qui pourrait songer à leur reprocher quoi que ce soit?

27

Après, il y a le jour de Noël, que Florence traverse dans un brouillard, la famille réunie au grand complet à Belvaux, chez l'oncle et la tante de Jean-Claude. Ses cousins sont là également, Bernard, Sylvie et Nicolas, avec leurs enfants, Pauline, Prune et Kevin.

Les parents de Jean-Claude ne sont pas très en forme, Aimé à cause de son diabète, Anne-Marie à cause de son cœur. La maman de Florence se plaint d'asthme. Christophe et Patrick s'ennuient ; l'aîné va divorcer. Du cadet on ne parle pas, de peur de trop en dire. Il se pourrait qu'il aime les garçons.

Hugo et Camille chahutent, comme à leur habitude.

Jean-Claude, lui, ne tient pas en place. Son oncle le trouve distant. Il constate que son neveu s'est remis à fumer. Un cigarillo après l'autre.

— Quelque chose te préoccupe, mon Jean-Claude ?

Rien, répondit-il avec agacement.

Pour se distraire, il modifie la mise en scène de la crèche, contrariant sa belle-mère qui l'avait arrangée avec les enfants.

On s'aperçoit que le petit Jésus a disparu.

Dans l'euphorie que dans le groupe chacun s'impose, quelqu'un s'exclame :

— Le toubib, cette année on arrivera à le faire boire !

Mais quand la famille se fond ainsi dans la masse compacte de ses effusions éthyliques et carnassières, qu'elle engloutit le corps et le sang du Christ dans son interminable cène cannibale, rien ne se dit du désarroi de l'un de ses membres, rien ne se voit de ses fêlures : pour être heureuse, une famille se doit de ne pas avoir d'histoires.

Ce jour-là, personne ne l'interroge sur l'argent qui lui a été confié. Jean-Claude y pense, pourtant. Il se voit comme le banquier occulte de ses parents, son oncle, sa belle-mère, ses beaux-frères, qui tous ensemble constituent le cercle dont il est le centre. Le premier cercle de son enfer.

Avant la bûche glacée, Jean-Claude s'échappe discrètement, gagne les toilettes et, appuyant sur la chasse de façon continue pour couvrir le bruit, vomit son repas.

Il revient dans la salle à manger. Il va prendre l'air, annonce-t-il.

— Qu'est-ce qu'il a ? demande quelqu'un.

— La fatigue, répond sa mère. Il a toujours été comme ça à Noël. Tout petit déjà.

Dehors, l'air est gris et humide. Les nuages roulent bas sur les collines, dans le jardin des gouttes de pluie s'accrochent aux branches des arbres et les troncs sont noirs. Il n'y a plus d'horizon.

C'est l'heure à laquelle il a envie de pleurer, et comme l'enfant qu'il aimerait ne jamais avoir cessé d'être, il laisse venir quelques larmes. Ce que dit sa maman est vrai : « À Noël, il se sent toujours tout chose. » Seul au monde, inconsolable, perdu. Christine lui manque soudain terriblement. Mais il n'y a plus rien à faire. Sans argent, il n'y a plus de solution.

Il sent contre sa cuisse un petit objet dur. Plongeant la main dans la poche, ça lui revient : le petit Jésus de la crèche. Du talon, il creuse un trou dans le sol détrempé, puis y jette le santon qu'il recouvre de terre. Drôle d'enterrement pour un petit Jésus, le jour de son anniversaire.

Le calvaire se poursuit au réveillon du Nouvel An. Pour transporter Florence et les enfants à Strasbourg, où les attendent les Schwartz, leurs amis de New York, il a loué une Espace chez BusinessCar. C'est une enseigne de Ferney-Voltaire, où il emprunte régulièrement des Mercedes, des BMW pour continuer à se donner l'illusion qu'il occupe quelque part un poste important nécessitant des véhicules de direction, et M. Martinez, son gérant, n'a pas trop tiqué lorsque la carte de crédit a été refusée par le lecteur magnétique.

— Un peu fatiguée par tous les achats de fin d'année, la puce ? a fait Martinez. Ne vous inquiétez pas, docteur Welche. Signez-moi ce reçu, et on refera l'opération la semaine prochaine.

Ensuite, c'est janvier, le mois aux deux visages. Le lundi, le tout premier de l'année, dans la matinée, Florence répond à un appel téléphonique. C'est la maman de Jean-Claude, très inquiète : ils viennent de recevoir un courrier de la BNP. Leur compte accuse un découvert de quarante mille francs.

— Tu y comprends quelque chose, ma Florence ? Papy est dans tous ses états, il a été obligé de se coucher.

Non, Florence ne sait rien, et Jean-Claude est à Besançon pour la journée. Mais il doit être au courant, lui. Elle se veut rassurante.

— Il s'occupera de tout, comme d'habitude. Il rentre ce soir.

Dès son arrivée, elle l'informe de l'appel de ses parents.

— Ta mère est vraiment très préoccupée, dit-elle.

Ses lèvres se pincent. C'est la fin, il le sait.

Florence répond à son sourire grimaçant par son propre sourire.

C'est ce qu'il hait en elle.

28

Cette nuit-là, il est 4 heures du matin lorsque Jean-Claude monte se coucher. Florence s'est endormie en lisant, sa lampe de chevet allumée. Dans le nid de ses cheveux défaits il ne voit pas son visage. Elle est couchée comme certains bébés, à plat ventre. Il tremble. Il n'a pas dormi depuis si longtemps que son grand zygomatique se tétanise par moments. Il a l'impression que des étincelles jaillissent de son cerveau. Ses gestes sont saccadés. Du pied, il a buté contre un objet qui part en roulant lourdement à l'écart du lit.

Un rouleau à pâtisserie.

Ce sont les enfants qui ont dû venir dans la chambre à coucher avec, et le laisser là. Parfois ils s'en servent pour étaler leur pâte à modeler.

Ou l'a-t-il lui-même glissé sous le lit, pour favoriser le sort? Il ne s'en souvient pas.

Jean-Claude se penche. C'est bien ça. Il ramasse le rouleau, se redresse.

Et frappe.

Avec une violence, une brutalité, une force dont il ne se serait pas cru capable, il frappe. Dans un réflexe de défense, Florence a placé son bras sur sa nuque : le coup suivant lui a pratiquement arraché le pouce.

Florence n'a pas poussé le moindre cri. Elle ne s'est sans doute jamais réveillée. Si elle l'avait fait pour regarder cette mort qui s'acharnait sur elle, ses yeux exorbités n'auraient rencontré que la neige des draps, de l'oreiller, d'un bout de couette. Il a continué à frapper. Cinq, sept, huit fois. Il ne compte pas, ne calcule pas, il se vide. Simplement, au bout d'un moment, il s'arrête. Pas épuisé, non, seulement soulagé. Maintenant il va pouvoir dormir un peu.

8 heures, ce samedi matin. Le téléphone sonne. Jean-Claude décroche. Michèle Vegray, que Florence doit remplacer au cours de catéchisme du lundi parce qu'elle a fait une dépression, s'excuse d'appeler si tôt, mais elle va mieux et voulait leur annoncer la bonne nouvelle. Il la trouve même passablement excitée, pour une dépressive.

C'est gentil d'appeler, dit-il.

— Comment? Je vous entends à peine, Jean-Claude.

Il s'excuse, mais les enfants dorment encore. Souhaite-t-elle parler à Florence?

— Pas si elle est encore couchée. Je ne voulais pas vous déranger.

Elle ne les dérange pas, dit-il.

— Je voulais juste savoir si Florence et les enfants viendront à la messe de 18 h 30, comme d'habitude.

Sur le coup, il ne sait que répondre. Lui-même a prévu de s'absenter pour le week-end, et il sait que Florence n'aime pas sortir, le soir en hiver, seule avec les enfants. Mais il n'a pas envie de dire ça à cette femme.

Non, dit-il. Ils seront dans le Jura. Chez ses parents. Doit-il prendre un message?

224

— Oui. Que j'ai appelé, et que tout va très bien pour moi, d'accord? Je la rappellerai lundi.

Lundi?

Elle a un petit rire moqueur.

— Oui lundi! Vous n'y êtes pas encore, ce matin, docteur Welche!

Les enfants se sont réveillés tout seuls. Le samedi, leur mère se lève souvent la dernière, à moins qu'ils n'aillent quelque part ce jour-là.

Ils ont également pris le petit déjeuner de leur côté, comme des grands. Puis ils sont passés au salon pour regarder une vidéo de Walt Disney. *Les Trois Petits Cochons*. Le mercredi et le samedi matin, les enfants ont le droit de rester en pyjama et de regarder une cassette.

Jean-Claude est retourné dans la chambre à coucher. Il se rend compte qu'il est lui aussi encore en pyjama. Et alors?

Rien ne presse.

D'ailleurs, Florence ne s'est toujours pas réveillée. De la couette ne dépasse qu'une touffe de cheveux. Celle-là, quand elle dort! Possible également qu'elle ait pris un léger somnifère, hier soir.

Il se dit tout cela sans arrière-pensée. Il est seul au monde, tout simplement. Seul dans son monde.

Mais dans la cuisine, Jean-Claude aperçoit le rouleau à pâtisserie sur l'égouttoir. Propre, sec. Penser à le ranger, se dit-il. Laisser la maison en ordre.

Il se sent mieux, après ces quelques heures de sommeil. Courbatu, parce ce qu'il a dormi à même le sol, mais dispos. Les idées bien en place.

225

Il prend son petit déjeuner sans hâte.

— Pas trop fort le son, hein les enfants, crie-t-il pour se faire entendre dans l'autre pièce.

Il sourit. Les enfants, ça met de la vie dans une maison.

Ensuite, appeler sa mère. Confirmer qu'il sera à Belvaux pour l'heure du déjeuner.

— Mais dis à Papa que je n'aurai pas le temps de passer ce matin à la réunion forestière. Qu'il y aille sans moi, j'ai un travail à terminer ici.

En raccrochant, il est soudain pris d'un doute. Quatre à quatre, il remonte l'escalier et se précipite dans la chambre. Non, elle n'a pas bougé. Il croyait pourtant. On s'imagine de ces choses, parfois! Il redescend, rejoint ses enfants sur le canapé. Les trois petits cochons viennent de se réfugier dans la maison en bois. Touchants petits cochons, si naïfs, tellement innocents. Et le dernier, le plus malin, celui qui a construit sa maison en dur et qui fait la nique au loup : bien moins crétin que ses frères, quand même.

Il prend ses enfants dans les bras.

— Mes chéris. Alors, ce grand méchant loup?

— Il va tous les manger, tu crois? demande Camille. Mais qu'est-ce que t'as, Papa? Tu trembles. Tu as froid? Tu veux que je te cherche ta robe de chambre?

— C'est toi qui as l'air d'avoir froid, mon enfant, réplique Jean-Claude.

Il lui touche le front. Mais oui, il est brûlant.

— Viens, Papa va te prendre la température.

Elle proteste : elle se sent parfaitement bien, et puis elle veut voir la fin de la cassette!

— Pas question, dit-il en se levant. Et d'abord, je veux que tu prennes quelque chose.

226

Dans la cuisine, il prépare un verre d'eau avec une bonne dose de phénobarbital.

— Il va souffler sur la cabane et tout va s'envoler ! l'informe Hugo alors qu'il revient avec la mixture.

— Tiens, Cam… Oui, mon Hugo, tout va s'envoler.

Camille fait la grimace en buvant.

— C'est quoi ? demande Hugo. J'en veux aussi !

C'est pour être plus fort contre la grippe, dit-il.

— Attend.

Il retourne à la cuisine, verse quelques gouttes du barbiturique sur un sucre et l'amène à Hugo. Puis, d'un ton ferme, il dit à Camille :

— Viens, maintenant. On monte.

Dans la chambre, il lui demande de s'allonger sur le ventre. Viens, on va faire un jeu, dit-il. Et lui tend l'oreiller.

Il attend qu'elle y ait enfoui la tête pour ouvrir le feu. Une gerbe de plumes s'élève dans un bruit sourd et retombe en silence. Il neige sur l'enfant mort. Trois balles à bout portant. Le fusil est celui que son père avait offert à Jean-Claude pour aller à la chasse. Jean-Claude avait prévu un silencieux, qu'il a acheté trois jours auparavant chez un armurier lyonnais en lui demandant de l'envelopper dans du papier-cadeau. En fin de compte, il a bien fait de ne pas le déballer, ce silencieux. Il pourra toujours l'offrir à son père.

Il remet le fusil à l'endroit où il l'avait dissimulé, derrière la porte qui mène au grenier. Avant de redescendre, il s'assure que la couette rose recouvre bien le corps de Camille. Sa petite forme se distingue à peine. Il fait une poignée des plumes éparpillées, qu'il glisse également sous la couette. Un joli linceul, se dit-il. Même pas de sang.

Puis il va chercher Hugo. Il fait comme avec sa fille. Ici, il a terminé.

Belvaux, maintenant. Et ensuite, Paris.

Il range la carabine dans son étui, prend quelques affaires, des sous-vêtements, sa trousse de toilette, et prépare une petite valise. Il s'habille.

Avant de partir, Jean-Claude rappelle sa mère. Il sera un peu en retard.

29

Elle l'attend au portail, comme une apparition. Ma mère, songe-t-il.

— Tu es en survêtement ? s'étonne-t-elle.

Il a encore de la route à faire, répond-il.

Ils s'embrassent sans effusion. Elle le trouve pâle, fatigué.

— Tu devrais te reposer, dit-elle.

Son père, casquette sur la tête, descend l'escalier en se tenant à la rampe et vient l'aider à décharger la voiture. La carabine, les courses de la semaine. Le père dépose la carabine avec le chargeur dans le râtelier à côté de son propre fusil, dans une alcôve aménagée dans la montée d'escalier.

Ils passent à table. Une légère soupe aux poireaux, réchauffée de la veille, suivie de haricots du jardin conservés au congélateur et de pommes de terre vapeur. Pour le fils, il y a également un petit morceau de rôti de porc.

Sur la table, trois verres, du genre Duralex ; de l'eau pour les parents, une grande bouteille de Coca pour lui. L'assortiment coloré des pilules pour la mère, picorées au fur et à mesure, et celui des médicaments pour le père.

Même s'il n'y a pas si longtemps qu'ils ne se sont vus, ils sont contents de se retrouver.

Le père évoque la réunion forestière qui s'est déroulée dans la matinée.

— On m'a demandé où tu étais. J'ai dit que tu avais du travail.

La mère raconte qu'ils ont eu la visite du voisin, maintenant veuf, venu leur souhaiter une bonne année. « Et à toi aussi », crie-t-elle. Elle entend de plus en plus mal. D'abord la dépression, maintenant la surdité, songe-t-il. Et son père, bientôt aveugle. Coupés du monde, l'un et l'autre.

Mais il ne les écoute pas. Il se sent de mauvaise humeur. Contrarié.

— Tout à l'heure, dit-il à son père, j'aimerais que tu viennes voir dans la chambre. Il y a ces odeurs. Peut-être une fuite du conduit dans le placard, tu sais, le tuyau de la hotte ? suggère-t-il.

— On ira mettre un coup de mastic, dit le père.

Ensuite, ils mangent en silence.

Son père remet sa casquette et se lève.

— Je cherche ce qu'il faut pour le conduit, dit-il.

Jean-Claude aide sa mère à débarrasser la table. Le couvert et les assiettes dans le lave-vaisselle. Cet après-midi, ils iront tirer à la carabine dans le jardin, avec Papa, lui dit-il, assez fort pour qu'elle l'entende. Ça ne la dérangera pas ?

Elle hausse les épaules. Elle n'aime pas les armes à feu, il le sait. Mais qu'elle ne s'inquiète pas, ils seront prudents. Promis.

Il l'embrasse sur le front.

Puis il monte. Dans l'escalier, il retire la carabine du râtelier, introduit le chargeur et manœuvre la culasse.

Son père a déjà commencé l'inspection du placard où passe le conduit défectueux.

— Ça m'a effectivement l'air dans un sale état, ce truc, fait Aimé.

Il grimace : ses articulations, quand il est à genoux.

Son père se plaint constamment de son dos, de ses genoux, songe-t-il. Pour désherber le jardin, il n'a cependant pas le choix, or le jardin est devenu son seul univers ; autrefois, c'était la forêt, mais depuis plusieurs années, à cause de son diabète, plus question d'arpenter la forêt ; mes enfants, songe Jean-Claude, n'auront pas connu le bonheur d'aller en forêt avec leur grand-père.

Il tend le canon de la carabine devant lui, sans épauler. Souvent, songe-t-il maintenant, il a pensé que le diabète a sauvé son père du suicide, s'il avait continué à se rendre en forêt comme autrefois, il s'y serait pendu, le mot « dépression » n'avait pas cours dans cette famille, mais la forêt, en fin de compte, aurait causé la perte de son père, songe Jean-Claude maintenant, comme il l'a toujours songé, et c'est à lui, son fils, qu'il serait revenu de découvrir le pendu, son père, voilà ce qu'il s'est toujours dit. Le jardinage au lieu de la forêt, en désespoir de cause. À Prévessin, jamais Jean-Claude ne s'est occupé du jardin, jamais il n'a supporté l'idée de devoir biner ou désherber, couper le bois oui, remuer la terre non, on peut d'ailleurs le constater, derrière la maison, à Prévessin, le jardin est en friche, ici à Belvaux il est parfaitement bien entretenu, en dépit des difficultés que son père éprouve lorsqu'il se penche et s'agenouille, mais à Prévessin, où c'est à Jean-Claude qu'il appartient d'entretenir le jardin, celui-ci est effectivement en friche, la forêt, la perte de son père, le jardin, jamais qu'une façon de s'attacher aux détails.

Jean-Claude tire à bout portant, deux fois, dans le dos. Le buste de son père bascule vers l'avant, la tête heurte le rebord à droite dans la penderie et les lunettes quittent le visage ; les jambes repliées dans la position de génuflexion qui était la sienne l'instant d'avant, Aimé Welche s'affaisse simplement sur lui-même.

Le fils regarde le sang s'écouler de son père. Il s'en écoule beaucoup. Le père ne meurt pas tout de suite.

Le fils pose les lunettes du père, maculées de sang, sur le rebord de la penderie. Il y range également la casquette, puis il allonge les jambes du mourant en une position moins indécente. Il se recule pour juger du résultat. Il n'est satisfait que lorsqu'il a recouvert le corps avec le dessus de lit en velours rouge du canapé.

Il appelle sa mère. Il doit crier. Finalement il l'entend qui monte, suivie du chien.

Jean-Claude a pris soin de fermer la porte de la chambre.

Il les accueille sur le palier, le fusil à la main, comme cela est parfaitement naturel puisqu'il a tiré des cartons dans le jardin, ou qu'il s'apprête à le faire.

— Je ne t'entendais pas, s'excuse-t-elle. Papa est dehors ?

Aux cabinets, dit-il. Entraînant sa mère vers la pièce attenante, il ajoute qu'il lui a demandé de purger un des radiateurs. Sait-elle lequel ne fonctionne pas bien ? Celui-ci, peut-être ? Pourquoi ne regarde-t-elle pas d'un peu plus près ?

Elle ne comprend pas ce qu'il lui demande. Comme si elle s'y connaissait, en chauffage. Mais enfin… Elle avance la main vers le radiateur qu'il lui a désigné pour vérifier s'il fonctionne, quand soudain un bruit violent retentit dans son dos. Ce n'est pas le bruit qui la fait sursauter, mais la douleur. Elle pivote lentement sur elle-même, les yeux écarquillés.

— Jean-Claude, dit-elle en tendant les bras vers son fils, qu'est-ce qui m'arrive ?

Une attaque, elle a une attaque, se dit-il. Sans y croire vraiment.

Sur les quatre coups de feu, deux lui ont transpercé le cœur et les poumons. Un troisième s'est perdu dans le mur sans la toucher.

Jean-Claude ramasse les lunettes, comme à son père, ainsi que le dentier, qu'il lui replace avec soin dans la bouche. Les lunettes, il les pose, pliées, sur le guéridon. De l'armoire, il sort une grosse couverture synthétique, verte, dont il recouvre le corps de sa mère après lui avoir croisé les bras sur la poitrine.

— À toi, maintenant, dit-il doucement à Bobette, venue renifler la mare de sang.

Il tire. La chienne pousse un petit cri de surprise et va crever sur le carrelage de la salle de bains.

Il la recouvre d'un édredon.

Il nettoie la carabine. À l'eau froide, afin d'enlever, comme c'est écrit dans les livres, le sang. Il la replace dans le râtelier.

Voilà, c'est terminé. Il est presque déçu : ce qu'il a fait ces dernières heures, ces cinq meurtres qu'il a commis, ne semble pas avoir beaucoup plus d'importance que la vie menée ces vingt dernières années. Pas plus réels. Il a peut-être eu tort de s'en faire, en fin de compte.

Mais en réalité, ce n'est pas terminé. Cela ne le sera sans doute jamais. Le mensonge continue. Avant de redescendre, il prend le temps de consulter le cours de toxicologie qui appartenait à Florence et qu'il conserve dans sa bibliothèque. Le passage concernant les barbituriques. Leurs taux de létalité. Puis il verrouille les portes des deux pièces où gisent son père et sa mère. Le caveau familial.

L'horloge du salon affiche deux heures moins le quart. Parfait. Dans les temps. Il appelle Christine à Paris, lui confirme qu'il sera à l'heure. C'est ce soir qu'il doit restituer l'argent. Par la même occasion, lui a-t-il proposé, pourquoi n'iraient-ils pas dîner chez Bernard Kouchner ? Le ministre, qu'il rencontre régulièrement dans le cadre de l'OMS, l'a invité dans sa maison de campagne en compagnie d'un couple de chercheurs qui effectuent actuellement un travail tout à fait passionnant sur les cellules auditives ; bien entendu, il peut lui-même venir accompagné.

Christine est impressionnée.

— Je ne savais pas que tu connaissais Kouchner.

Il connaît Fabius, également. Un homme tout à fait charmant. Très simple, en vérité, pas du tout comme il apparaît à la télévision. La maison de campagne de Kouchner, précise-t-il, se trouve en pleine forêt de Fontainebleau.

— Ce ne doit pas être bien pratique, en cette saison, s'étonne Christine.

Il y aura un superbe feu dans la cheminée, répond-il en s'efforçant de contenir son agacement. Alors, que décide-t-elle ?

Quelque chose lui paraît étrange, dans cette invitation, mais comme elle n'a aucune raison de douter de sa sincérité, elle accepte.

— D'accord, dit-elle. Super !

Quelques jours plus tôt, Jean-Claude avait envoyé à Christine le livre que Kouchner vient de publier. *Le Malheur des autres* porte une dédicace : « À mon collègue de cœur et de l'OMS. » Jean-Claude l'a effectivement croisé, mais à l'occasion d'une rencontre avec le public organisée par la FNAC à Lyon.

Dans le paquet que Christine a ouvert se trouvait également un flacon de parfum, ainsi qu'une lettre.

Bonjour, ma Christine.

Le courage me manque de passer te voir, te dire bonjour, et repartir avec toute la dignité qu'il conviendrait.

Je te laisse un peu de lecture et un cadeau pour me faire pardonner tous les soucis que je t'apporte honteusement dans ta vie.

Il y a deux ans aujourd'hui que tu ne m'aimes plus. Deux ans pendant lesquels j'ai, inconsciemment parfois, attendu le miracle. Deux ans de souffrance stérile, deux ans de survie grâce aux souvenirs heureux, aux « je t'aime » échangés.

J'ai perdu tout espoir et toute illusion ; mais je dois prendre des décisions importantes cette semaine, et j'aurais aimé te parler encore une fois d'un éventuel avenir.

Je suis heureux de passer la soirée de samedi avec toi. Merci de cette joie. Ce sera peut-être un adieu, ou un nouveau sursis : c'est toi qui en décideras.

Je suis sûr que je suis le seul à t'Aimer de cette façon
*   à pouvoir tout te donner*
*   même ma vie.*
Je t'Aime.

                                                    J.-C.

P.-S. : Je t'écris de Bâle, d'un tramway – il faut laisser la voiture à l'extérieur du centre-ville. C'est amusant, mais qu'est-ce que ça bouge !

P.P.S. : Encore une chose – je n'arrive décidément pas à te quitter : pour le dîner chez K, samedi soir, je m'occupe d'acheter des fleurs avant de te retrouver... Bon, cette fois, c'est tout ! Mille baisers.

Il se change, enfile un costume de velours vert foncé. Ce qu'il faut pour un dîner décontracté à la campagne, entre confrères. Il passera une chemise propre en arrivant à Paris.

Avant de partir, Jean-Claude s'assure qu'il a bien verrouillé la porte d'entrée. On ne sait jamais.

Il pousse un soupir de soulagement en montant dans la voiture. Comme autrefois, lorsqu'il parvenait à s'échapper indemne du ventre de la maison. Aujourd'hui, ce soulagement peut enfin être définitif. Il n'a plus à regarder avec appréhension par-dessus son épaule. Il est un homme libre.

30

Finalement, il est arrivé avec de l'avance.

Ils se sont donné rendez-vous à 19 h 45, sur le parvis de la Madeleine. Comme la messe des louveteaux est célébrée dans la crypte, Jean-Claude en profite pour s'installer dans le fond de l'église, à côté d'un radiateur, et se reposer un peu. Il ferme les yeux. Enfin.

Quand il se réveille, il est grand temps de rejoindre Christine. Il n'aurait pas dû dormir. Il a fait un rêve, mais ne s'en souvient déjà plus. Et il se sent sale, maintenant, énervé, avec un mauvais goût dans la bouche.

Devant l'église, le groupe des parents venus assister à la messe de leurs enfants se disperse.

— Vic-tor, articule-t-il en se plaçant en face de l'enfant, les lèvres bien à la hauteur de ses yeux. Quel-beau-cos-tu-me-tu-as.

Il se tourne vers Christine : il faudra qu'il inscrive lui aussi son fils chez les scouts. Cela lui fera le plus grand bien !

Ils se font la bise.

— Tu as l'air fatigué.

La route, dit-il. Il y a eu de la neige presque jusqu'à Auxerre.

Christine le regarde. Il a l'air accablé. Mais ce soir, le fardeau qu'il porte en permanence sur les épaules l'exaspère plus que de coutume. Elle a vraiment eu tort d'accepter ce dîner, se dit-elle.

— Avec ce temps, et si tu es fatigué, je ne sais pas si c'est une bonne idée d'y aller, dit-elle.

Il lève des yeux étonnés. Comment ? Mais bien sûr qu'ils doivent se rendre chez les Kouchner : ils sont attendus !

Il est un peu plus de 20 heures lorsqu'ils s'engagent sur le périphérique. Il a fallu déposer Victor, gardé en compagnie de sa sœur par la baby-sitter, et Christine a tenu à se changer.

La circulation est chargée. Une petite pluie bruine le pare-brise.

— On n'y sera jamais pour 9 heures, constate-t-elle. Elle a sorti la carte routière qu'il lui avait indiquée dans la boîte à gants et l'a dépliée sur ses genoux. Un gros point bleu, à la lisière de la forêt de Fontainebleau, sur la commune des Écrennes, marque l'emplacement de la maison de Kouchner.

Ce n'est pas grave, dit-il. Ce couple de chercheurs qui doit les rejoindre arrive par le dernier avion de Genève. Ils ne seront donc pas à Roissy avant 8 h 30 !

— Ce tailleur te va très bien, ajoute-t-il avec un sourire chaleureux.

Ils sont plus détendus à présent. La pluie a cessé, et sur l'autoroute qui mène à Melun, Christine a un peu l'impression de partir en week-end. Elle demande à Jean-Claude des nouvelles de Florence et des enfants.

238

Cet après-midi, Hugo est allé à un anniversaire, dit-il. Le fils d'Étienne fêtait ses six, non ses sept ans – Hugo et lui ont pratiquement le même âge, à un mois près ! Camille est restée à la maison. Elle était un peu jalouse... Mais demain, Florence les emmène tous les deux à Annecy, chez leur mamie !

Jean-Claude se tourne vers Christine et ajoute en riant :

— Grâce à notre ami Bernard Kouchner, j'échappe aux corvées familiales !

Florence, poursuit-il, va s'inscrire à des cours de peinture sur soie.

Il songe : de la peinture sur soie, quelle bonne idée. Peut-être que cela lui ferait du bien, à lui aussi. Sa mère a raison : il a besoin de se changer les idées.

— Je l'ai toujours admirée pour ça, Florence, dit Christine. Son dynamisme. Toutes ces activités qu'elle entreprend. Moi, j'aurais bien aimé refaire du piano, mais cela prend du temps.

Elle soupire.

— Les enfants, le cabinet à monter, mon divorce... Sans compter Frédéric – on n'arrête pas de se disputer pour un oui ou pour un non et de se réconcilier...

Il l'interrompt :

— Ce soir, ma Christine, tout dépend de toi. Tout peut arriver.

Comme il lui a dit dans sa lettre... Il étouffe un bâillement qu'il n'a pas senti venir.

— Pardon. Je suis épuisé.

Il a discuté avec Florence jusqu'à 2 heures du matin... À propos de ce poste de directeur qu'on lui propose à Paris – et qui le rapprocherait de Christine, justement.

— Jean-Claude, ne reprenons pas cette conversation. Je te l'ai dit cent fois : nous sommes amis, un point c'est tout !

Il objecte d'une voix plaintive qu'entre elle et ce Frédéric, jamais ne pourra s'établir une relation durable : ne lui a-t-elle pas dit elle-même qu'ils se disputaient sans arrêt ?

— Je ne t'ai jamais dit ça. Et cela ne te regarde de toute façon pas.

— Si ! s'exclame-t-il soudain dans un cri strident. Parce que je t'aime !

Le silence se fait dans la voiture. Ils se rendent compte pour la première fois que l'obscurité les enveloppe. Qu'ils roulent vers le bout du monde, peut-être.

— Pardon, murmure-t-il.

Il ne voulait pas l'effrayer.

Ils ont quitté l'autoroute depuis un moment, à présent. Les phares de la voiture les entraînent dans une nuit sans fin, d'arbres, de champs, de petites routes inattendues et désertes. Quand une autre voiture les croise et s'éloigne, leur sentiment d'isolement n'en est que plus absolu.

Jean-Claude allume la radio, en sourdine.

— Je crois qu'on tourne en rond, dit Christine, la carte désormais inutile toujours posée sur ses genoux.

Elle s'efforce de me dissimuler son inquiétude, se dit Jean-Claude. Pourtant je ne lui veux pas de mal. En finir, une bonne fois pour toutes. Et dormir. Ne plus penser à rien. Des éclairs lui passent devant les yeux. La perspective de ce qui lui reste à faire lui noue la gorge.

Ils ont dû rater un embranchement, dit-il. C'est quelque part sur la gauche.

— Mais n'aie pas peur, ma Christine, n'aie pas peur, il ne nous arrivera rien, je sais où c'est.

La maison est sur la gauche, enfoncée au fond d'une allée, se répète-t-il. Il s'y est déjà rendu, non ? Alors comment se fait-il qu'il ne la retrouve pas, cette foutue baraque à Kouchner ! Et son portable qui est en panne...

Commune des Écrennes.

— On est déjà passés par là, fait-elle en lâchant à son tour un bâillement. Pas plus inquiète que ça, en réalité. Juste affamée.

La voiture s'engage maintenant sur une départementale qu'il ne leur semble pas avoir prise auparavant. Deux kilomètres après la sortie du bourg, dont les rues sont aussi désertes que les alentours, ils arrivent devant ce qui paraît être la maison d'un garde forestier. Jean-Claude ralentit. Les volets sont fermés. En cette saison, personne ne doit y habiter.

Au croisement, plusieurs chemins partent en étoile. Carrefour de Tronces, annonce-t-il. Il se souvient du nom sur la carte.

— Ce n'est plus très loin.

Il engage la voiture sur un terre-plein, à l'écart de la route.

Elle s'étonne :

— Tu vas voir s'il y a quelqu'un ? Ne me laisse pas seule...

Il va vérifier l'adresse dans le coffre, argumente-t-il.

Il descend de la voiture, va au coffre, et revient du côté de Christine. Il a un cadeau pour elle, dit-il en ouvrant la portière. Ne pourrait-elle pas descendre ? Il aimerait qu'elle l'essaie.

— Ici ?

Christine aperçoit quelque chose dans sa main, un cordon, qu'elle prend sur le coup pour un collier de perles.

— Jean-Claude…, fait-elle en claquant la langue avec exaspération. Elle descend pourtant de voiture. Pour incongrue que lui paraisse la situation, elle n'a toujours pas peur. Et pourquoi aurait-elle peur, puisqu'elle est avec Jean-Claude ?

À lui, le calme de sa compagne l'étonne. À moins, se dit-il soudain, qu'il ne s'agisse d'une feinte de sa part. Ou de la résignation ? Quand une victime n'a plus rien à perdre, il ne lui reste plus qu'à consentir.

C'est un cordon de plastique vert, un petit gadget fluorescent que l'on offre avec les hamburgers à la cafétéria où ils sont allés dîner hier soir avec Florence et les enfants.

Ferme les yeux, dit-il. Il lui passe le cordon autour du cou et commence à serrer.

Christine ne comprend pas.

— Jean-Claude, mais…

Tout en se débattant, elle parvient à glisser ses ongles sous l'objet qui l'étrangle et à l'arracher. Furieuse, elle se tourne vers Jean-Claude. Une décharge de gaz lacrymogène la saisit aussitôt au visage.

Elle pousse un hurlement. Soudain, elle ressent contre le ventre une sorte de boîtier, qui lui envoie de douloureuses décharges électriques. Les yeux exorbités, elle hurle à nouveau. Tout en le suppliant d'arrêter, elle ne peut s'empêcher de continuer à regarder ce qui est train de lui arriver, sa mort.

— Mais qu'est-ce que… ?!

Il s'arrête soudain, lâche le boîtier électrique, comme étonné par ce qui est en train de se passer.

— Mais Christine, voyons…, objecte-t-il sur un ton de remontrance, comme on gronde gentiment un enfant. Sois raisonnable, s'entend-il dire, laisse-toi faire – qu'as-tu donc à t'affoler ainsi?

Puis, dans un geste incompréhensible et absurde, Jean-Claude dirige soudain vers son propre visage la bombe paralysante qu'il a conservée dans l'autre main et s'envoie une giclée de gaz.

Cela fait dix ans qu'il a cette bombe, se dit-il avec résignation. Elle n'est vraiment plus efficace!

Éclatant en sanglots, Christine continue de le supplier:

— Je ferai tout ce que tu me demandes, mais pense aux enfants…

Jean-Claude la regarde avec stupéfaction.

— Mais, Christine… C'est pour toi que j'ai acheté cette bombe. Pour que tu puisses te protéger, dans ton parking, la nuit…

Et il gémit:

— Mon Dieu, elle ne croit tout de même pas que…

Il s'approche d'elle pour l'enlacer et la rassurer. Christine le repousse avec force. Il gémit encore: Mon Dieu, mais que lui arrive-t-il? Son cancer, se rend-elle compte? Dans quel état la maladie l'a mis?

Ramassant le boîtier de défense électrique, il explique qu'il l'a également acheté pour elle, pas plus tard que la semaine dernière, toujours pour qu'elle puisse se défendre des agressions. Glissant l'objet dans la poche de sa veste, il ajoute en haussant les épaules:

— Je pourrai toujours m'en servir pour caler la roue de secours. Elle ne tient pas en place, dans le coffre.

Jean-Claude a maintenant l'air très ennuyé de l'incident. Il lui redemande pardon. Il l'a vraiment effrayée, n'est-ce pas ? Mais, il faut le croire, ce comportement incohérent est le contrecoup de son traitement. Quelle horreur ! Se prenant la tête entre les mains, il répète :

— Quelle horreur, quelle horreur, ce qui m'arrive en ce moment...

Puis se ressaisissant, il ajoute :

— Mais allons-y, Kouchner nous attend. Il n'est jamais trop tard.

Ils sont remontés dans la voiture. La main sur la clé de contact, il ne démarre pas tout de suite. Sans la regarder, il se dit : Comment a-t-elle pu croire que je lui voulais du mal ? La tuer ? Elle, la femme qu'il aime le plus au monde ? Il secoue la tête et se tourne vers elle : Franchement, dit-il, s'il avait voulu la tuer, tuer les enfants, n'aurait-il pas pris un fusil ? Il a failli ajouter : Et pas le rouleau à pâtisserie !

— Rien de plus facile, tu sais.

Il met le contact en prenant un air dépité. Quelle soirée, dit-il. S'il avait su...

Une voiture passe sur la route. Du coin de l'œil, il observe Christine. Elle n'a même pas réagi. Elle se contente de pleurer, les mains autour du cou, comme pour effacer les marques de strangulation. De vilaines plaques rouges sont apparues sur ses avant-bras et sur son visage.

— Ça ne va pas ? dit-il doucement. Tu as mal ?

Elle secoue la tête en reniflant, les yeux fixés droit devant elle sur la nuit.

— Roule, murmure-t-elle. S'il te plaît.

Du chagrin, se dit Jean-Claude en engageant la voiture sur la départementale. Elle a du chagrin. J'ai trahi notre amitié. Notre amour. Je suis un misérable.

244

Et sans prévenir, il donne un brusque coup de frein. Le collier, s'exclame-t-il, bon sang ! Il a dû le laisser tomber… Il faut retourner le chercher !

Un nouveau sanglot d'effroi plie Christine en deux. Dans un hoquet, elle parvient à articuler :

— Jean-Claude, pour l'amour du ciel, rentrons.

La regardant un instant sans rien dire, il finit par acquiescer. :

— Tu as raison, fait-il d'un ton conciliant.

Ce n'est pas bien grave. Il reviendra chercher ce collier une autre fois. À moins qu'il puisse se faire rembourser par l'assurance ? À son avis ?

Non, cela ne prendra jamais fin. Cette vie dans les plis de la réalité, les interstices du cauchemar.

La voiture roule au pas, d'une lenteur propice aux tortures. Il n'a toujours pas renoncé à se rendre chez Kouchner. Cela ne se fait pas, ne pas se rendre à un dîner sans prévenir ! dit-il, énervé. Recroquevillée contre sa portière, secouée de frissons, Christine suggère timidement qu'il lui suffira de trouver une excuse.

Et laquelle ? s'emporte-t-il. Il ne peut tout de même pas lui faire croire qu'ils ont eu un accident : il verra bien que la voiture n'est pas abîmée !

Il ne fait aucun doute à ses yeux qu'il doit maintenir la fiction. Pas pour lui, mais par égard pour Christine. Alors qu'ils traversent une autre commune déserte, il s'arrête à la hauteur d'une cabine téléphonique. « Je vais les prévenir que nous ne viendrons pas. Tant pis. » Il prends soin de retirer les clés de contact.

Dans la cabine, il compose les premiers chiffres d'un quelconque numéro et fait mine de parler.

— C'est fait, dit-il en revenant à la voiture. J'ai dit que je n'ai pas pu me libérer du boulot.

Ils sont désolés, mais au moins il a pu les excuser.

Ils roulent. Enfin l'autoroute. Il a un aveu à lui faire, dit-il tout à coup. Ce n'était pas un collier, tout à l'heure. C'était un petit tuyau d'aquarium, dont il se sert pour siphonner le bidon d'essence dans le réservoir. Quand on va en forêt, il vaut mieux être prévoyant, non? Il lui pose la main sur le genou:

— Tu ne m'en veux pas trop? Tu me pardonnes?

Christine a un hoquet. Elle a décidé qu'il n'était pas question pour elle de mourir ce soir. Pas comme ça. Pas avec ses enfants qui l'attendent à la maison. Reprenant courage, elle se dit que la seule façon de s'en sortir est de faire parler Jean-Claude. De ses projets de recherche, de Florence, de Hugo et Camille, de l'école... Qu'un homme qui parle ainsi de ses enfants ne va tout de même pas chercher à assassiner la femme assise à côté de lui.

Jean-Claude se prête volontiers au jeu. De toute façon, il n'a plus envie de la tuer. C'est au moment où elle s'est retournée vers lui, tout à l'heure en se débattant, que l'envie de l'étrangler lui est passée. Pour tuer, il ne faut pas que l'on puisse vous voir à l'œuvre.

Et puis il y a la question de l'argent, dont elle n'a pas osé reparler, mais qui est quand même la raison première de leur présence dans cette voiture ce soir. Comment lui dire qu'il ne l'a pas sur lui, sans qu'elle se sente trahie une fois de plus?

Il se dit qu'il doit se comporter comme un gentil garçon à partir de maintenant. Il affirme qu'il ira voir un psychiatre, ainsi qu'elle le suggère. Dès lundi. Ses conseils sont pertinents, dit-il avec conviction. Lui-même n'explique-t-il pas à ses étudiants que les sujets atteints d'une maladie grave voient parfois leur état s'améliorer lorsqu'ils bénéficient d'un soutien psychologique ? Pour se faire pardonner, dit-il, il est prêt à tous les combats contre sa maladie. Ce cancer qui le ronge, il peut encore le surmonter. S'il peut compter sur l'amitié de Christine. Pas son amour, il ne peut pas en exiger autant.

— Mais au moins ton amitié.

Si seulement il était réellement malade, songe-t-il. Car de son cancer de l'esprit, il n'a aucune chance de guérir.

Peu après 1 heure du matin, la voiture s'engage boulevard Pereire, tourne dans une rue adjacente et s'arrête devant l'immeuble de Christine. Le gaz lacrymogène leur arrache encore à l'un et à l'autre quelques larmes, auxquelles s'ajoutent chez lui celles que des bouffées de honte n'ont cessé de faire couler tout au long du chemin.

Il ne la libère pas immédiatement. Lui demande d'attendre un instant, il a encore quelque chose à lui dire. Dès lundi, son médecin traitant l'appellera pour lui expliquer son état.

— Quant à l'argent…

Il y a réfléchi : qu'elle lui confie un relevé d'identité bancaire, et les 380 000 francs – oui, c'est ce que cela représente avec les intérêts – seront sur son compte dès mardi.

Enfin, il a une dernière requête :

— Est-ce que je peux monter avec toi ?

Sans se donner la peine de répondre, Christine sort de son sac à main un carnet de chèques dont elle détache le relevé.

— Tiens, et passe une bonne nuit. Ou ce qu'il en reste, dit-elle en cherchant à ouvrir sa portière, laquelle, elle ne s'en rend compte que maintenant, est verrouillée électroniquement.

Surtout ne pas céder à la panique.

— Jean-Claude, s'il te plaît...

Il contemple un instant le morceau de papier comme s'il s'agissait d'un document requérant la plus grande attention. Puis il le plie et le glisse dans son portefeuille. Ce qu'il ressent en cet instant, c'est de la fatigue, tout simplement. Une immense fatigue. « Merci », dit-il avec un sourire las, tout en désactivant le verrouillage des portières. Un bisou, quand même ?

Il l'a regardée s'engager sans précipitation dans l'immeuble. Dans le hall, la lumière ne s'est pas allumée. Celle de l'ascenseur non plus. Elle a dû monter à pied, très vite, dans l'obscurité.

Il décide de lui laisser un peu de temps. Il n'a pas le code, de toute façon.

Il entreprend de faire le ménage dans sa voiture. Le volant, d'abord, rendu poisseux par les projections de gaz lacrymogène, qu'il nettoie à l'aide d'une toilettine et d'un peu d'eau minérale. Il rassemble ensuite les mouchoirs usagers qui traînent entre les sièges, et de la boîte à gants retire tout ce qui lui paraît compromettant : la carte routière, les bombes lacrymogènes – il s'en était procuré deux, on ne sait jamais –, le boîtier de défense électrique, ainsi que son dictaphone, un appareil photo format espion, une minuscule lampe-torche, un briquet, et enfin un couteau suisse à quarante lames. Sous le siège arrière, il met la main sur le petit téléviseur à cristaux liquides qu'il n'a jamais beaucoup regardé et dont il n'aura plus besoin désormais. Les bras chargés, il va jeter tout ce bric-à-brac dans une poubelle publique deux rues plus loin.

Puis il pousse la porte d'une cabine pour appeler Christine : il veut implorer son pardon, une dernière fois…

— Jean-Claude ! Il est presque 2 heures du matin !

Elle est à bout de nerfs.

— Tu ne crois pas que nous en avons eu assez pour aujourd'hui ?

Ne peuvent-ils pas se voir, ne serait-ce qu'un petit quart d'heure ?

— S'il te plaît, les enfants dorment. Tu devrais en faire autant. Et moi aussi.

Qu'elle lui promette au moins de ne pas croire que ce qu'il a fait ce soir était prémédité !

— Si tu veux…, soupire-t-elle. Allez, on se rappelle en début de semaine. Prends soin de toi. Et n'oublie pas de me virer l'argent.

Au réveil, ce dimanche matin, avant même de décider si elle doit prévenir les flics, elle essaiera de joindre Florence au téléphone. Puis Christine se ravise : elle doit être à Annecy aujourd'hui, avec les enfants.

31

Après avoir lutté contre le sommeil tout au long du trajet, Jean-Claude décroche lui aussi, dès son arrivée à Prévessin, le téléphone.

Il appelle ses parents.

Personne ne répond.

Il consulte sa montre : 11 heures. Curieux, ça. Où peuvent-ils bien être ? Et puis il raccroche.

Bien sûr.

Il se déchausse. Il écoute. Le silence. La qualité si particulière du silence qui règne dans une maison où gisent trois cadavres.

La journée va être longue.

Dans la chambre à coucher, la couette sur le lit fait une longue chaîne de montagnes blanches, avec ses vallées, ses sommets, ses cols. Il referme la porte. Deux autres chaînes de montagnes, moins étendues, dans la chambre des enfants. Une odeur de poudre brûlée. Sinon, cela ressemble à du sommeil.

Il redescend, met la télé. Un peu de compagnie. Les sons qui sortent du poste brouillent le silence comme une main plongée dans l'eau. Mais cessez d'agiter la main, et rapidement la surface redevient miroir.

À l'aide de la télécommande, il passe d'une chaîne à l'autre. Sur le câble, les italiennes, les allemandes, les sportives. Une émission de variété, un match de foot, une course automobile, des hommes déguisés en diablotins, un fauve guettant sa proie.

L'une après l'autre, il engage dans le magnétoscope toutes les cassettes qu'il a accumulées ces dernières années et enregistre ce qui défile à l'écran. Qu'au moins il reste une trace de cette journée. Sur une des cassettes – laquelle au juste, il ne saurait le dire –, ils se sont filmés, Florence et lui, en train de faire l'amour. Si les gens savaient ça, se dit-il. Mais on ne sait pas ce qui se passe réellement dans la vie des gens. Voilà le drame. N'est-ce pas ce que Florence lui avait dit un jour? Quelle hypocrisie, les gens!

On va le juger, se dit-il tout à coup. Le reconnaître coupable. Emprisonnement à perpétuité, cela représente combien de temps? Vingt, trente ans? Bien entendu, qu'il est coupable! Coupable de meurtres: « Meurtrier », dit-il à haute voix. Le mot lui fait un drôle d'effet. Ce n'est pas moi, c'est moi. Moi, pas moi. Il répète: « Meurtrier. »

Et pourtant, il les a aimés. N'est-ce pas qu'il les a aimés? Qu'il les aime encore, les aimera toujours, cela ne fait pas de doute. Il sait qu'une fois là-haut, au ciel, ils lui pardonneront. Ses petits anges. Sa Flo. Sa maman, son papa. « Je vous aime. » Ose le dire, maintenant, pas de fausse pudeur, tu ne risques plus rien!

À 19 heures, il appelle Christine.

— Je te demande de nouveau pardon.

— Il faut absolument que tu ailles voir quelqu'un, Jean-Claude.

Elle parle avec calme et fermeté.

— Je ne sais pas si tu t'en rends compte, mais ce que tu as fait hier soir est grave ! Tu aurais pu me tuer !

Il glisse deux doigts sous ses lunettes et appuie sur le coin de ses yeux pour bloquer l'arrivée des larmes.

À 21 heures, la sonnerie du téléphone retentit. Jean-Claude laisse le répondeur prendre le message. Christophe. J'ai bien fait de ne pas décrocher. Il aurait voulu parler à sa sœur, et qu'est-ce que j'aurais pu lui dire ? Il ne se sent plus la force de mentir.

22 h 30. Jean-Claude porte au grenier un des deux jerrycans qu'il a achetés l'avant-veille au centre commercial. Celui-ci contient du mazout, qu'il répand sur les caisses où sont rangées des affaires ayant appartenu à Florence.

Il se prépare pour l'ultime sacrifice.

Le sien.

Il est un peu plus de 4 heures, en ce lundi matin, quand il met le feu au grenier. Conformément à ce qu'il a prévu, le feu, alimenté par le combustible relativement peu volatile qu'est le mazout, prend lentement. De la fumée se dégage dans une odeur âcre, écœurante. Il tousse dans sa manche et sort en refermant la porte.

La chambre des enfants est dans l'obscurité, mais la faible lueur qui filtre des fenêtres lui évite de devoir allumer la lumière. Il relève les couettes et, sans regarder ce qu'il y a dessous, répand de vigoureuses rasades d'essence. Il hésite : doit-il également imprégner d'essence les couettes ? Allez, quelques giclées. Il craque une allumette et se recule pour se protéger du souffle de la flamme. En effet, l'essence prend mieux que le mazout.

Dans la chambre à coucher, il calfeutre la porte avec des vêtements suspendus au valet. Un chemisier, un pantalon de femme. Il y ajoute quelques-unes de ses propres chemises, pour faire un meilleur tampon. Autour du lit, il répand le reste d'essence. Puis il se déshabille, enfile son pyjama, et se met au lit.

Sur la table de nuit, Jean-Claude a préparé le revolver d'ordonnance qu'il conserve toujours dans le tiroir pour protéger sa famille des cambrioleurs. À côté du revolver se trouve une boîte d'allumettes de cuisine et un flacon de Nembutal, le somnifère de Florence.

Le boîtier électroluminescent de sa Breitling indique « 4:55 ». Dans moins de dix minutes, les éboueurs en tournée dans le quartier passeront devant la maison. En tendant l'oreille, il lui semble d'ailleurs entendre déjà, au loin, le mugissement régulier de la grosse benne du camion-poubelle.

Il frotte une allumette. L'endroit où il la jette prend feu aussitôt. Puis il décapsule le flacon de Nembutal et le vide dans le creux de sa main. Une vingtaine de cachets à 100 mg, en principe la dose n'est pas mortelle.

Pourvu qu'ils voient les flammes à temps.

Épilogue

Jean-Claude s'est pris pour le Christ, dans les premiers temps de son incarcération. Pendant toute une semaine, il jeûna. Puis il reçut la visite des psychiatres chargés de l'expertiser.

Trois collèges, constitués chacun de deux experts, l'examinèrent. Leurs conclusions s'accordèrent : le sujet était affecté de mythomanie et d'un narcissisme pathologique, et qu'il se prît pour le Nazaréen ne faisait que le confirmer. Pour autant, Jean-Claude Welche n'en était pas moins responsable de ses actes.

Une question cependant demeurait, à laquelle ni les psychiatres, ni les témoins, pas davantage que l'intéressé lui-même ne purent répondre de manière satisfaisante : comment avait-il pu, pendant toutes ces années, abuser avec autant d'aisance son entourage sans que personne, à aucun moment, ne doutât de lui ? La réponse que fit son oncle à la présidente du tribunal pourrait presque suffire : « La confiance, ma brave dame, la confiance ! »

Mais un incident, survenu dans les semaines qui précédèrent le procès, apporte peut-être un éclairage supplémentaire. Ce jour-là, l'institutrice de Hugo,

255

elle-même, selon toute apparence, bonne épouse et excellente mère, vint rendre visite à Jean-Claude, en prison. Pas pour lui adresser les récriminations et les outrages auxquels on s'attendrait... mais afin de lui déclarer sa flamme. Avant la fin du temps imparti, il fallut les séparer : l'institutrice et le quintuple meurtrier étaient enlacés, selon la terminologie de l'administration carcérale, « dans une position d'intimité indécente ». Il avait, une fois de plus, réussi à faire pitié. Par la suite, le couple poursuivra une correspondance passionnée.

L'avocat général garda cet épisode pour la fin de son réquisitoire. Il aurait pu s'en dispenser sans affecter l'issue du procès. L'accusé fut condamné, sans surprise et comme il le réclamait lui-même, à la peine d'emprisonnement maximale.

Un journaliste s'intéressa à son cas et lui proposa de collaborer à l'écriture de ses mémoires.

Il refusa. Dans la fin de non-recevoir qu'il adressa à son correspondant, Jean-Claude Welche évoqua l'incapacité dans laquelle il se trouvait de comprendre ses propres actes. S'il ne savait lui-même pas, au terme de toute une existence de fabrications et de fictions, qui il était, comment pourrait-il communiquer son expérience à autrui ? Mais il ne perdait pas tout espoir de rédemption ; il n'avait après tout que quarante-trois ans, disait-il encore dans son courrier, et le temps qu'il lui restait à vivre lui permettrait certainement de trouver le moyen de se racheter. « De faire le bien, auprès de tous ceux qui se sentiront concernés. »

*Cet ouvrage a été composé
par Atlant' Communication
aux Sables d'Olonne (Vendée)*

Impression réalisée sur CAMERON par

BRODARD & TAUPIN

GROUPE CPI

*La Flèche (Sarthe)
en juillet 2002*

*pour le compte des Éditions de l'Archipel
département éditorial
de la S.A.R.L. Écriture-Communication*

Imprimé en France
N° d'édition : 199 – N° d'impression : 14164
Dépôt légal : août 2002